rororo

Treffen Sie zürnende Eisköniginnen, verzweifelnde Börsenmakler und ritterliche Helden, die auf der Suche nach dem sagenumwobenen Stein der Leisen und dem heiligen Integral in verzwickte Rätselfallen geraten. Setzen Sie den weltkleinsten Großrechner zusammen, und helfen Sie dem armen Patrick O'Knobely, dem König der Kobolde, zu entkommen.

32 phantasievolle Kurzgeschichten führen Sie auf heiteren oder spannenden Wegen zu mathematischen Knobeleien, die mit Schulwissen und Einfallsreichtum zu lösen sind. Ein Genuss für Freunde mathematischer Rätsel – und eine Verlockung für alle eingefleischten Rechenmuffel.

rororo

Dr. Olaf Fritsche, studierter Biologe, hat zusammen mit Dr. Richard Mischak für die Online-Ausgabe von «Spektrum der Wissenschaft» die monatlich erscheinende Rubrik «Mathematische Knobeleien» entwickelt. Er arbeitet heute als freier Wissenschaftsjournalist für verschiedene Zeitungen und Magazine. Seine Website: www.wissenschaftswissen.de

Dr. Richard Mischak hat technische Mathematik studiert und lehrt als Professor an der Fachhochschule Salzburg Unternehmensführung und Strategie – ein Fach, das viel «Problemlösungspotenzial» enthält. Um Jugendliche für die kreativen Seiten der Mathematik zu begeistern, hat er die Ausstellung «Jagd auf Zahlen und Figuren» entwickelt, die inzwischen auch ihre Spuren im Mathematikunterricht an österreichischen Schulen hinterlässt (www.zahlenjagd.at).

Thorsten Krome hat sein Studium der Physik mit einer Vertiefung in Nanostrukturphysik abgeschlossen. Seit Ende 2000 als Redakteur bei wissenschaft-online, arbeitet er nun an einem Forschungs- und Entwicklungszentrum der Halbleitertechnologie.

Bei *science* hat das Dreierteam bereits «Jagd auf Zahlen und Figuren» (61971) veröffentlicht.

Olaf Fritsche Richard Mischak Thorsten Krome

Auf der Suche nach dem heiligen Integral

Neue Knobelgeschichten von wissenschaft-online

Rowohlt Taschenbuch Verlag

rororo science

Lektorat Ludwig Moos

Veröffentlicht im Rowohlt Taschenbuch Verlag,
Reinbek bei Hamburg, August 2005

Umschlaggestaltung any.way, Barbara Hanke
(Abbildung: The Archives Collection Mamelok Press Ltd. © MLP 1987)
Grafiken bei den Aufgaben: Olaf Fritsche
Grafiken bei den Lösungen: Thorsten Krome
Satz Minion und Akzidenz Grotesk PostScript, QuarkXPress 4.1
Gesamtherstellung Clausen & Bosse, Leck
Printed in Germany
ISBN 3 499 61995 4

Inhalt

Vorwort

Hassen Sie Mathe? – Dann sind Sie hier richtig!

Lieben Sie Mathe? – Dann halten Sie ebenfalls das richtige Buch in den Händen!

Und wenn Sie der Meinung sind, das könnte unmöglich beides zutreffen, dann blättern Sie am besten schnell ein paar Seiten weiter. Suchen Sie sich eine der kleinen Geschichten im ersten Teil des Buches heraus und fangen Sie an zu lesen. Sie erfahren, mit welchen irrwitzigen Methoden Amtsrat G. Anzgenau die Akten seines Dezernats vor Spionen und Vandalen schützen will, erleben eine Oper an König Arcus' Hof, lernen eine Menge über die Biologie der Gnatzgnome, erhaschen einen Blick hinter die Bühnen des Wertpapierhandels … alles ohne Mathematik. Wenn Sie wollen. Aber seien Sie vorsichtig: In jeder Geschichte steckt ein mathematisches Problem, an dem man herumknobeln kann. Muss man nicht. Doch sogar eingeschworenen Rechenmuffeln kribbelt es unwillkürlich in den Fingern, selbst herauszubekommen, welche Fläche der Teich für olympisches Synchronangeln hat und welche mystischen Kräfte in der Zahl 32 stecken. Sie werden sehen: Es macht Spaß, die kleinen grauen Zellen anzustrengen und den Helden der Geschichten aus ihren aberwitzigen Situationen zu helfen.

Alles, was Sie für Ihre Abenteuer im Trainingslager der japanischen Fußballnationalmannschaft, auf dem Campus der University of Middlesix in Ohio und im Land der Eiskönigin benötigen, ist ein wenig Zeit, Papier und Bleistift, mitunter ein Lineal und etwas mathematisches Schulwissen. Vor allem aber: Phantasie. Denn oft hilft ein zündender Gedanke weiter als Formeln und Tabellen. Sollte die Aufgabe doch einmal zu schwierig sein oder der Geistesblitz partout keine Funken schlagen, finden Sie im zweiten Teil des Buches ausführliche Lösungswege für den Aha!-Effekt.

Die Rätselnüsse für dieses Buch hat Richard Mischak erdacht und in seiner Ausstellung *Jagd auf Zahlen und Figuren* (www.zahlenjagd.de) mit vielen Schülern und Jugendlichen erprobt. Olaf

Fritsche hat den Aufgaben ihre Geschichten auf den Leib geschrieben und damit eine neue Form der mathematischen Knobelei entwickelt, die jeden Monat die Nutzer von *Wissenschaft Online* (www.wissenschaft-online.de) und *spektrumdirekt* (www.spektrumdirekt.de) aufs Neue zum vergnüglichen Grübeln herausfordert. Die Lösungen von Thorsten Krome sorgen dafür, dass einfache wie auch schwierigere Schritte mit normalem Schulwissen nachzuvollziehen sind.

Damit die Knobelgeschichten es von der Idee bis zu einem zweiten Sammelband (nach *Jagd auf Zahlen und Figuren* im Rowohlt Verlag) schafften, waren wieder viele helfende Hände und Köpfe nötig, denen wir an dieser Stelle ganz herzlich danken. Besonders erwähnen möchten wir Universitätsprofessor Dr. Gerd Baron und Dr. Christoph Pöppe von *Spektrum der Wissenschaft* für ihre Einfälle und Ratschläge zur Mathematik, Anja Blänsdorf von *wissenschaft-online* für ihre organisatorische Unterstützung, den Mitarbeitern des Rowohlt Verlags für die hervorragende Zusammenarbeit, insbesondere den Lektoren Ludwig Moos und Astrid Grabow, Irma Mischak für ihre Geduld mit der *Suche nach dem heiligen Integral* in all ihren vielfältigen Formen und Stefanie Fritsche für ihr kritisches und aufmunterndes Redigieren der Geschichten, bevor sie in die Welt entlassen wurden.

Wir wünschen Ihnen viel Spaß beim Lesen und Knobeln!

Olaf Fritsche, Richard Mischak, Thorsten Krome

Mathematische Knobeleien

1. Kein' im Sinn

LÖSUNG SEITE 92

Wie jedes Jahr, so sind auch in den vergangenen Wochen wieder Computergruftis und Mathefreaks zur DEBIT gepilgert – der weltweit größten Messe für abgefahrene IT-Neuheiten. Megatrend dieses Mal waren neurobiologische Logikbausteine, allen voran das Innovationswunder im Handy-Format: der Calcilitor.

(Middlesix/Ohio) Haben Sie noch einen Taschenrechner in irgendeiner Schublade herumfliegen? Weg damit! Versperrt ein klotziger PC den freien Blick auf die Schreibtischplatte? In den Müll! Wo Transistoren und Dioden gierig Energie fressen, herrscht die Technik von gestern. Schon morgen werden Sie das Wort «Silizium» vergeblich in Ihrem Wörterbuch suchen. Es ist endlich Zeit für etwas Neues. Zeit für wirklichen Fortschritt. Zeit für den Calcilitor!

Ein ganzes Jahr galt er als bestgehütetes Geheimnis introvertierter Bioinformatiker, nun hat die Knobelitis AG auf der DEBIT dem staunenden Fachpublikum einen Prototypen präsentiert. Erste voll funktionstüchtige Geräte sollen bereits kommenden Herbst in den Regalen stehen – sofern sie nicht instantan ausverkauft sein werden.

Im gegenwärtigen Entwicklungsstadium verfügt der Calcilitor über zwei Register für jeweils vierstellige Eingabedaten sowie ein Register für die Aufnahme und Anzeige des Ergebnisses. Dank seiner elaborierten bioneuronalen Nervtechnik rechnet der Calcilitor im umfangreichen Dezimalsystem und erschließt so einen unvergleichlich größeren Zahlenraum als konventionelle Mikrochips auf binärer Grundlage. Im Prototypen implementiert ist zurzeit ein Additionsoperator, dessen Performance-Werte auf der Messe für Furore sorgten. Bereits wenige Minuten nach der Eingabe der beiden Summanden und nach Zufuhr eines Viertelliters konzentrierter Glukoselösung zeigten fluoreszierende freie Synapsen das Resultat an.

Gewisse Schwierigkeiten bereite noch die horizontale Kommunikation der verarbeitenden Neuronen, gestand ein Vertreter der Knobelitis AG auf Nachfrage ein. Daher könne der Calcilitor bislang lediglich Additionen ohne Übertrag durchführen. Dennoch sei die Anzahl der möglichen Rechnungen gewaltig, da jede Zahl zwischen 1000 und 9999 in den Calcilitor eingegeben und von ihm prozessiert werden könne. Allerdings müssten die beiden Zahlen in jedem Fall verschieden sein und die kleinere im oberen Register stehen.

Die genaue Anzahl der korrekt ausführbaren Additionen vermochte die Knobelitis AG leider ebenso wenig mitzuteilen wie den zu erwartenden Listenpreis. Experten vermuten, dass er vierstellig sein wird und sich ohne Übertrag errechnen lässt. Wie viele unterschiedliche Rechnungen beherrscht der Calcilitor also?

2. Eine echte Milchmädchenrechnung LÖSUNG SEITE 95

Der Satz des Pythagoras stammt gar nicht von jenem Herrn, und auch sonst sieht es düster aus in seiner Schule im süditalienischen Kroton. Nicht nur, dass einige Schüler heimlich Bohnen essen – selbst die Welt der vollkommenen Dreiecke, Kreise und Quadrate lehnt sich auf gegen die Erkenntnis von der allumfassenden Harmonie der Zahlen.

Das hatte Miniapollos sich ganz anders vorgestellt. Wie hatten seine Eltern, Freunde und Nachbarn geschwärmt: Das Oxford und Cambridge der Antike sollte es sein. Reformfreudiger als jede Behörde. Innovativer als ein Großkonzern. Und aufgeschlossener als ein Alpendörflein. Doch kaum hatte er bei seiner Ankunft an der Pythagoras Highschool schwungvoll über den Gartenzaun gesetzt, da gab es schon den ersten Rüffel: Ein Pythagoreer steigt nicht über Zäune! Und das war nur der Anfang. Ein Pythagoreer wandert nicht auf der Landstraße! Ein Pythagoreer bricht das Brot nicht! Ein Pythagoreer tut dies nicht und macht das nicht! Vor allem aber: Ein Pythagoreer isst keine Bohnen!!!

O.k., hatte Miniapollos sich gedacht. Da muss man halt durch. Dafür gibt es hier eine Menge zu lernen. Die Gesetze von der Harmonie der Töne zum Beispiel. Oder den Satz des Pythagoras, dem viele Meister eine große, glanzvolle Zukunft prophezeiten, obwohl schon die alten Ägypter ein paar Spezialfälle davon kannten. Ja, und natürlich die geheimen Bedeutungen der einzelnen Zahlen. Den gesamten Kosmos und seine schöne Ordnung repräsentierten sie. Alles ließ sich mit ganzen Zahlen oder Brüchen davon ausdrücken. Kurz: Die antike Welt war hier noch in Ordnung.

Bis gestern. Da hatte Miniapollos es gewagt, in Dreieckskunde eine zunächst harmlos wirkende Frage zu stellen: Welche Länge hat eigentlich die Hypotenuse eines rechtwinkligen, gleichschenkligen Dreiecks, wenn die Katheten jeweils eine Einheit lang sind? Nichts leichter als das, hatte sein Lehrer gelächelt, das rechnen wir doch gleich mal aus. Und er fing an zu kalkulieren. Nach einer Viertelstunde schickte er einen Schüler in die Nachbarklasse, den Lehrer für Quadrate holen. Wenig später den Kollegen für Kreise. Und schließlich Direktor Pythagoras selbst. Nun, an diesem Abend gab es weder Bohnen noch etwas anderes zu essen – die Herren Lehrer waren immer noch am Rechnen.

Am nächsten Morgen hing der Haussegen noch immer fürchterlich schief. Wir sind wohl schon zu tief in die harmonische Wahrheit des Kosmos vorgestoßen, sprach Pythagoras ein Machtwort. Was wir brauchen, ist ein Neuanfang von ganz vorne. Mit der reinen Leere eines unschuldigen Geistes. Und weil gerade ein Bauernmädchen, das vom Melken zurückkam, am Fenster vorbeiging, winkte der Meister sie herein. Auf ihr von irreführenden Lehren unverdorbenes Wissen wollten die Lehrer das neue Denken aufbauen.

Als das Milchmädchen schüchtern die Schule betrat, bot Pythagoras persönlich ihr einen Schemel zum Sitzen an. All seine Lehrer und Schüler hatte er zum Schweigen verpflichtet, damit sie der kosmischen Offenbarung nicht durch barbarisches Wissen hineinredeten. Zunächst ließ er das Mädchen zählen, so weit sie konnte (das war bis vier), dann zeigte er ihr verschiedene Dreiecke, Kreise und Vierecke. Als er ihres Entzückens ob all dieser strengen Eleganz gewahr wurde, stellte der Meister ihr einige Aufgaben. Während sie sich redlich mühte, klug klingende Antworten zu geben, nutzten Miniapollos' Augen die unerwartete Gelegenheit, mit Hingabe die natürlichen Kurven der Magd zu diskutieren.

Seine Aufmerksamkeit wandte sich erst wieder der abstrakteren Mathematik zu, als das Milchmädchen kichernd meinte, diese Frage sei doch selbst für sie zu einfach. In den Sand am Boden hatte Pythagoras einen Halbkreis gezeichnet, in den ein Quadrat einbeschrieben war. Wenn er den halben Kreis nun erweiterte, sodass dieser vollständig sei, wollte er wissen, wie viel größer wäre dann das Quadrat, das eben gerade in den Kreis hineinpasste? Natürlich doppelt so groß wie zuvor, dozierte das Mädchen, denn der Kreis sei ja ebenfalls auf das Doppelte angewachsen. Mit strengem Blick brachte Pythagoras das Räuspern und Husten seiner Lehrerschaft zum Schweigen. Aus so reinem Munde könne nur die Weisheit des Universums sprechen, war er überzeugt.

Miniapollos hingegen kam zu einer anderen Überzeugung: Eine Schule, in der es keine Bohnen zu essen gab und Milchmädchen die Gesetze der Mathematik festlegten, war nichts für ihn. Morgen würde er abreisen. Auf Sizilien sollte eine Zweigstelle der Schule des Dionysos aufgemacht haben, hatte er gehört. Vielleicht konnte man dort auch nicht mehr lernen, aber mehr Spaß hatte man allemal. Nur das echte Verhältnis der beiden Quadratflächen, das hätte er doch zu gerne noch gewusst.

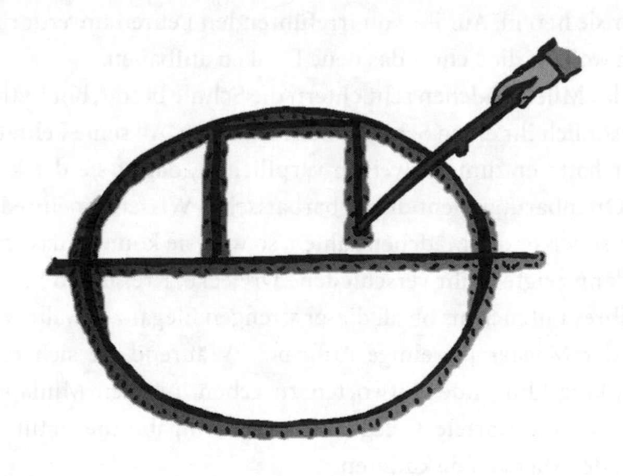

3. Behördenkryptografie

LÖSUNG SEITE 97

Wir sind alle in Gefahr. Es ist zwar erstaunlich lange nichts mehr passiert, doch Amtsrat G. Anzgenau spürt es im großen Zeh: Feindliche Terroristen, die politische Opposition und gelangweilte Computer-Kids wie sein eigener Sohn warten nur auf eine günstige Gelegenheit, um den Briefverkehr seines Amtes abzufangen und geheime Informationen über die Neugestaltung des Marktplatzes, die Anbringung von Starenkästen oder den Einsatz von Parkwächtern perfide für ihre verderbten Zwecke auszunutzen.

Wer etwas zu verbergen hat, sollte es gut verstecken. Sofern das geht. Mit der Post ist das zum Beispiel nicht so einfach. Formulare müssen ausgefüllt, Memos geschrieben, Briefe getippt werden. Ob Frau Lasch wohl zu Hause das Amtsgeheimnis wahrt? Und was ist mit der Poststelle? Sind die Mitarbeiter auf ihre Integrität geprüft? Haben sich dort womöglich subversive Elemente eingeschlichen, die heimlich Briefe durchleuchten? Auch die Zustelldienste könnten unterwandert sein. Und man weiß nie, wer alles bei der empfangenden Behörde eingeschleust wurde. Aber so nicht, meine Damen und Herren Spione! Jetzt schlägt die Stunde von Amtsrat Gernot Anzgenau – dem Meister der Verwurschtelung und Kästchenbastelei, dem besten Kryptologen des ganzen Dezernats.

Das Verfahren ist einfach, langwierig und liefert ein wunderschön verwirrendes Ergebnis, kurz: Es ist wie geschaffen für eine Behörde. Zunächst einmal braucht ein kryptografisches System einen Schlüssel, einen möglichst langen. Nichts leichter als das für einen klugen Beamten wie Herrn Amtsrat Anzgenau. Da kommen doch die natürlichen Zahlen bis zu einer Million gerade recht. Direkt hintereinander geschrieben ergeben die eine ganz erquickliche neue Zahl: 12345678910111213141516… Gute vierhundert Amtsstunden, somit ein geschlagenes Vierteljahr, hat es gedauert, sie niederzuschreiben. Also, wenn das kein sicherer Schlüssel ist.

Im nächsten Schritt wird der Quelltext vorbereitet. Jedem Buchstaben wird eine Zahl zugeordnet, die seiner Position im Alphabet entspricht, also A = 1, B = 2, C = 3 usw. Die Groß- und Kleinschreibung spielt keine Rolle. Aus einem wortgewaltigen «Merkblatt zur Vermeidung von Merkblättern» mit zwanzig Seiten Text wird so ein annähernd doppelt so dicker Stoß zahlenbesetzten Papiers, das entfernt an eine Promenadenmischung aus Börsenkursen und Lottozahlen erinnert. Keine zwei Wochen hat das gedauert und sieht doch schon kolossal kryptisch aus.

Aber Anzgenau hätte nicht so hervorragende Aussichten auf eine Beförderung zum Oberamtsrat, wenn er sich damit zufrieden geben würde. Nun will er jede der Buchstabenzahlen mit dem Schlüssel multiplizieren. Doch dabei ergeben sich unvorhergesehene Schwierigkeiten. Der schöne, sichere, lange Schlüssel erweist sich als ein klein wenig sperrig. Er passt in keinen lieferbaren Taschenrechner, und den Kauf des nötigen Papiers, um die Rechnungen schriftlich auszuführen, hat die Kostenstelle nicht genehmigt.

Doch was ein echter Amtsrat ist, der findet immer einen Weg und macht aus der Not gar eine Tugend. Aus dem großen Schlüssel, der fortan zum Masterschlüssel aufsteigt, bildet Anzgenau einfach einen kleinen Arbeitsschlüssel, indem er die Ziffern an zwei bestimmten Stellen miteinander multipliziert. Durch Variation dieser Stellen ist es sogar möglich, für jedes Formular und jeden Brief einen eigenen Arbeitsschlüssel zu bilden. Man muss dem Empfänger lediglich mitteilen, die wievielten Ziffern er aus dem großen Masterschlüssel multiplizieren soll.

Diese Aufgabe kann jetzt aber ebenso gut Frau Lasch übernehmen. Sie soll mal eben aus den Ziffern an der 206777. und der 206778. Stelle im Masterschlüssel durch Multiplikation den Arbeitsschlüssel bilden und damit das vorbereitete «Merkblatt zur Vermeidung von Merkblättern» fertig codieren. Schätzungsweise drei Wochen dürfte es dauern, bis Frau Lasch die entsprechenden Ziffern für den Arbeitsschlüssel extrahiert hat. Oder sollte es etwa eine schnellere Möglichkeit als Abzählen geben? Wie lautet wohl der Arbeitsschlüssel in diesem Fall?

4. Der weltkleinste Großrechner LÖSUNG SEITE 99

Herzlichen Glückwunsch zum Kauf des Kubi 2000! Sie haben einen der leistungsstärksten Computer des Nanozeitalters erworben. Der Kubi 2000 wird Ihnen schon bald in Beruf und Freizeit ein unverzichtbarer Helfer sein. Gehen Sie für die Installation bitte genau nach Anleitung vor.

«Ihr Kubi 2000 folgt dem modularen Bauprinzip moderner Nanoquantenrechner der neuesten Generation. In Ihrer Lieferung befinden sich 99 würfelförmige Prozessoren, deren Leistungsfähigkeit sich bei korrekter Anordnung potenziert. Mit Hilfe des beigefügten Steckschlüssels können Sie die Einheiten leicht zum fertigen Computer zusammenfügen.

Legen Sie dafür zunächst die 99 Prozessoren vor sich auf eine antistatische Unterlage mit angeschlossenem Antiprotonendeflektor. Stecken Sie sodann die Prozessoren derart zusammen, dass sich eine möglichst geringe Anzahl würfelförmiger Teil-Computer ergibt. Achten Sie darauf, dass wirklich keiner der Einzelprozessoren übrig bleibt.

Um den Rechner im formschönen, rechteckigen Funktionsgehäuse unterzubringen, arrangieren Sie die großen Würfel so direkt aneinander, dass sie ein Minimum an Platz benötigen.

Mit einem Rasterkraftmikroskop können Sie nun den Einschalter betätigen und die Startversion des Programms ‹Fenster00› installieren.»

Erstaunlicherweise gab es im Verlag Schwierigkeiten beim Aufbau des Kubi 2000, sodass hier auch weiterhin gewöhnliche PCs arbeiten. Können Sie vielleicht sagen, wie viele große Würfel gebaut werden sollen und welche Kantenlänge diese haben? Und wie viele Einzelprozessoren hätten wohl Platz in dem Funktionsgehäuse? Wenn Sie diese Antworten kennen, hätten wir nur noch das Problem, dass der Lieferung kein Antiprotonendeflektor beilag.

5. Die Suche nach dem heiligen Integral

LÖSUNG SEITE 101

«Zweifellos das Glanzstück unter den mathematischen Opern» *(Arien aus einer anderen Welt)*. «Zum Ableiten schöne Arithmetik» *(Zeitschrift für mathematische Harmonien)*. «Ein grandioses Epos mit hundert Rittern und einer verblüffenden Lösung» *(Die Summe der Musik)*. «Gäbe es die Mengenlehre noch nicht, müsste man sie für diese Oper erfinden» *(Du und deine Zahl)*.

Erster Akt: Das euklidische Reich ist in einhundert kleine Fürstentümer und Grafschaften zersplittert. In jedem von ihnen herrscht ein gelangweilter Ritter, der seine Zeit damit vertreibt, die oberen Grenzen seines Reiches nach Gutdünken zu verschieben und so Streit mit den Nachbarn anzuzetteln (Arie «*Oh, bliebe doch mein Limes stark*»).

Ein großes Turnier soll das deterministische Chaos einem festen Attraktor zuführen und einen König aus der Menge der Kleinherrscher bestimmen. Der junge Arcus gelangt als Knappe zu dem Spektakel. Da er den Rechenschieber seines Ritters verloren hat, muss er schnell einen anderen besorgen. Er findet ein altes Exemplar, das in einer Wandtafel aus Schiefer feststeckt. Arcus zieht ihn heraus und bringt ihn seinem Herrn (Arie «*Du alter Rechenstab, du musst wohl reichen*»). Die Ritter auf dem Turnier erkennen den Rechenschieber sogleich als das uralte Axiom, nach welchem jener König werden solle, der den Stab aus der Schiefertafel ziehen kann. Sie schwören Arcus als ihrem König die Treue. Arcus kann sich die vielen Namen nicht merken, daher nummeriert er die Ritter von 1 bis 100 durch.

Zweiter Akt: Arcus ist König, und die Grenzwerte aller Ländereien sind stetig und durch feste Funktionen definiert, doch die Ritter langweilen sich nun umso mehr. Der weise Mathematiker Median rät König Arcus, sie nach einer gemeinsamen Aufgabe streben zu lassen: die Suche nach dem heiligen Integral (Arie «*Wer konvergiert, der* *hadert nicht*»). Also schickt Arcus seine Ritter aus, um dieses Kleinod der Mathematik zu finden.

Einen Sonnenzyklus später kehren alle Ritter an den Hof zurück. Keiner hat das heilige Integral gefunden. Viele Orte wurden gleich drei- oder viermal analysiert, andere Stätten blieben unerforscht. Manche Ritter sind von Räuberbanden in Endlosschleifen gelockt und erst nach Zahlung einer wertvollen Logarithmentafel freigelassen worden.

Median bietet dem König an, den Suchalgorithmus zu verbessern und gegen Spione und Räuber einen kryptografischen Schutz einzubauen. Er teilt die Ritter anhand ihrer Nummern nach einem bestimmten Schema in drei Gruppen. Jede Gruppe soll in eine Richtung des kartesischen Koordinatensystems ziehen und dort nach dem heiligen Integral suchen. Findet sie nichts, soll die Gruppe bei Vollmond einen beliebigen Ritter aus ihren Reihen als Boten zur Insel Analysis senden. Kommen dort insgesamt drei Ritter an, schicken die Priesterinnen zum Zeichen des Misserfolgs einen schwarzen Raben zur Königsburg. Finden sich aber nur zwei Ritter auf der Insel ein, addieren die Priesterinnen deren Nummern und senden einzig die Summe mit einer weißen Taube an den Hof. Sollten Räuber diese Taube abfangen, wüssten sie ohne Kenntnis von der Gruppeneinteilung nicht, in welcher Richtung die Gruppe, die das heilige Integral gefunden hat, zu suchen wäre (Arie «*Der Schlüssel steckt in meinem Kopf, die Zahl allein, sie ist nichts wert*»).

Pause

Dritter Akt: Drei Monate lang kommen schwarze Raben an den Königshof geflogen. Median sucht nach einer Möglichkeit, sich direkt zu den Rittergruppen zu transferieren. Bei seinen Experimenten spiegelt er sich jedoch versehentlich selbst am Einheitskreis und verschwindet aus der Oper. Arcus ist bestürzt. Ohne seinen weisen Ratgeber bleibt alle Rechenarbeit nun an ihm hängen.

Im vierten Monat erreicht eine weiße Taube von der Insel Analysis die Burg. Sie ist das Zeichen, dass eine Gruppe das heilige Integral gefunden hat. Aber welche? (Arie *«Der Vogel spricht nicht, er trägt nur die Summe zweier Reiter»*) König Arcus ist am Verzweifeln. Median hat niemandem mitgeteilt, nach welchem System er die Gruppen eingeteilt hat. In seiner Not wendet Arcus sich an den Hofstaat und das Publikum: Wie war noch die Regel für die Gruppeneinteilung, nach der man allein aus der Summe bestimmen kann, welche Gruppe erfolgreich war?

6. Geometrische Nachtruhe im Zoo

LÖSUNG SEITE 102

Zum ersten Mal und exklusiv für alle Knobelfreunde öffnet der Zoo von Middlesix in Ohio in diesem Monat die Pforten seines Hochsicherheitstraktes. Eine grandiose Gelegenheit, einen Blick in die bizarre Welt der Halb- und Dreiviertelwesen zu wagen. Was hier neben zweihörnigen Einhörnern, wasserscheuen Meerjungfrauen und versalzenen Pfefferkuchenmännern im Verborgenen lebt, hat vor Ihnen noch keines Forschers Auge zu sehen bekommen. Aber Obacht! Bleiben Sie auf den Wegen!

Ich darf jetzt um absolute Ruhe bitten, meine Damen und Herren. Wir nähern uns dem Schlafgehege einer besonders empfindsamen Spezies. Jegliches Tuscheln, Hüsteln oder Räuspern ist strengstens untersagt. Kinder und emeritierte Ordinarien muss ich leider auffordern, hinter der Absperrung zurückzubleiben. Sollte es im Verlaufe unseres Besuches zu unerwarteten Zwischenfällen kommen, nutzen Sie bitte die Fluchtwege durch die Kanalisation oder entlang der Hochspannungsleitungen. Die Gullydeckel befinden sich jeweils links der Beobachtungstürme ... bis zu den Hochspannungsmasten schaffen wir es im Ernstfall sowieso nicht. Lassen Sie mich bei dieser Gelegenheit nochmals erwähnen, dass Sie selbst die Verantwortung für etwaige Nebenwirkungen und sonstige Folgen dieser Knobelaufgabe tragen.

Was Sie hier vor sich sehen, ist der Schlafplatz unserer gemeinen Gnatzgnome. Zur besseren Überwachung ist er rechteckig gestaltet mit Kantenlängen von 7,5 Meter und 4,5 Meter. In freier Wildbahn streifen die Gnatzgnome tagsüber durch Dörfer und Städte, immer auf der Suche nach einem ahnungslosen Opfer. Sie gehen dabei so geschickt vor, dass bis vor kurzem niemand ein wildes Exemplar in seiner natürlichen Gestalt zu Gesicht bekommen hat. Erst wenn der Gnom sein Opfer ausgewählt hat und ihm unter die Haut gefahren ist, kann man ihn lokalisieren. Die betreffende Person – meist handelt es sich dabei um Kinder oder ältere Menschen in Respektspositionen – benimmt sich unter der Attacke des Gnatzgnoms plötzlich äußerst bockig, mürrisch und widerspenstig. Ohne sich dessen selbst bewusst zu sein, provoziert sie ihre Mitmenschen und entlockt ihnen ernste Mahnungen, Beschimpfungen oder gar Flüche. Auf diese verbalen Äußerungen haben die Gnatzgnome es abgesehen. Sie sammeln sie ein und stopfen sie rasch in die geräumigen Motzbacken ihrer Mundhöhle. In schweren Fällen lassen die Gnome erst nach Stunden von ihrem Opfer ab, spätestens jedoch zur Schlafenszeit.

Dann ziehen sie sich auf einsame Waldlichtungen zurück, wo sie ihre Wortbeute über Nacht in Ruhe verdauen können. Oh, sehen Sie das Rascheln der Büsche, dort am Rand des Schlafplatzes? Ich glaube, das ist der erste Gnatzgnom. Und da schleicht sich auch bereits ein zweiter heran. Achten Sie darauf, welche Schlafplätze sie aufsuchen. Außerhalb der Paarungszeit können Gnatzgnome einander nicht ausstehen, dennoch bevorzugen sie solche Gemeinschaftsschlafplätze. Jeder Gnatzgnom sorgt peinlich genau dafür, einen Abstand von 1 Meter zu seinen Nachbarn einzuhalten. An die Bäume und Büsche um die Lichtung herum trauen sie sich immerhin bis auf 25 Zentimeter heran. Ja, man kann nun sehr schön erkennen, dass sich daraus ein gleichseitiges Dreiecksgitter ergibt, damit möglichst viele Gnome Platz finden.

Wir sind sehr stolz darauf, im Zoo von Middlesix in Ohio weltweit die größte Kolonie von Gnatzgnomen zu pflegen. Wie Sie sehen, ist jeder Schlafplatz belegt, und … Hallo? He, Sie! Das ist hier der Ruheplatz für Gnatzgnome – nicht für Zoobesucher und Knobelfreunde. Sie können doch nicht einfach ein Nickerchen machen, während ich Sie mit der Biologie dieser possierlichen Wesen vertraut mache. Wo kommen wir denn da hin? Jetzt will ich mal sehen, ob Sie auch aufgepasst haben: Wie viele Gnatzgnome haben auf der Lichtung Platz zum Schlafen? Na, wo bleibt die Antwort?

7. Die Falle für den Spieler LÖSUNG SEITE 105

Rupert ist ein Pechvogel – und ein Spieler. Eine todsichere Kombination, um Ehen zu zerstören, traditionsreiche Familienunternehmen in den Konkurs zu treiben und Existenzen in den Ruin zu stürzen. Ein Auszug aus dem Drama. Der letzte Akt, bevor der Schuldensumpf das erste Mal über Ruperts Kopf zusammenschlägt. Hier hält das neue Glücksspiel Permutations Einzug in sein Leben.

Die Regeln von Permutations sind einfach – ein Umstand, der das Suchtrisiko nicht gerade mindert. Der Spieler wählt eine Anzahl n von Feldern, die bis zum Schluss konstant bleibt. Nach oben hin setzt die Bank keine Schranke, doch nach unten verlangt sie, dass mit wenigstens fünf Feldern gespielt wird. Ein Zufallsgenerator ordnet jedem davon genau eine der Ziffern von 1 bis n zu, wobei jede Ziffer vergeben und jedes Feld besetzt wird. Ziel des Spieles ist es, die dadurch entstandene Zahl, gelesen von links nach rechts, zu erraten. Seinen Tipp riskiert der Glücksritter als Einsatz. Hat er getroffen, zahlt der Automat 10^n in der jeweiligen Währung aus. Rät der Spieler falsch, bucht das Casino den Einsatz vom Konto des Unglücklichen ab.

Rupert hat sich für $n = 6$ Felder entschieden. Er muss in Cent spielen, weil sein Vermögen nicht für Euros reicht. Sein erster Versuch ist einfallslos: einhundertdreiundzwanzigtausend vierhundertsechsundfünfzig Cent. Eine kurze Computeranimation von sechs Drehscheiben, um die Spannung zu erhöhen. Dann die Meldung «Schade, das war die falsche Reihenfolge» auf dem Bildschirm, und eine rauchige Frauenstimme haucht aus dem Lautsprecher: «Noch ein Versuch? Die Lösungszahl ist dieselbe wie eben.»

Natürlich probiert Rupert es wieder. Und wieder. Bis zum Ende. Zum bitter glücklichen Ende. Denn Rupert ist zwar ein Pechvogel, aber einer mit System. So notiert er jeden einzelnen Versuch und tippt kein einziges Mal eine Zahl doppelt. Trotzdem stimmt erst die letzte, die allerletzte mögliche Ziffernfolge. Das Gehirn empfängt

Glückshormone und Ruperts Geldbörse 1 000 000 Cent. Sein Kontostand schwebt jedoch nur ganz knapp über der Nulllinie. Schon am nächsten Tag würde Permutations ihn endgültig in die roten Zahlen reißen.

Wie viel Cent hat Rupert verloren (den Gewinn zum Schluss nicht berücksichtigt)?

8. Ein Scherz zu viel

LÖSUNG SEITE 107

Regen tropfte von ihren nassen Trenchcoats auf den Betonfußboden des Hinterzimmers. Was würden die Menschen in ein paar hundert Jahren denken, wenn sie am Grunde des Hudson River die vielen Leichen in ihren Betonsärgen entdeckten? Würde auch nur ein Einziger bei Jimmys Anblick an Billard denken? Wohl kaum.

Schon immer hatte Funny Jimmy das Spiel mit dem Feuer gesucht. Ein gefährliches Hobby. Besonders in diesen Zeiten. Dass er seine Bar zur Stammkneipe aller Polizisten in der Stadt gemacht hatte, indem er jedem Cop nach Dienstschluss einen «verschärften» Apfelsaft spendierte, hatte den Boss schon geärgert. Zum Glück für Jimmy stellte sich diese Dummheit schnell als die cleverste Tarnung in der Geschichte der Prohibition heraus. Denn es gab für ein Hinterzimmer mit speziellem Warenangebot keinen besseren Schutz vor überraschenden Razzien als ein Etablissement voller abgekämpfter Schnüffler in schmutzigen Uniformen. Und so florierten die Geschäfte im Dark Liquor, ob man nun im Ausschankraum blieb oder den Weg durch die Tür mit dem einfachen Schildchen «Privat» in das Reich des Bosses fand.

Auch Jimmys Idee von einem Freundschafts-Footballspiel unter seinen Gästen – «Polizisten gegen Zivilisten» – hatte der Boss schließlich zum eigenen Vorteil nutzen können. Zwei angeheuerte Schläger aus der Nachbarstadt schickten durch versteckte Fouls drei der eifrigsten Cops direkt vom Football-Feld für ein paar Wochen ins Krankenhaus. Nur dumm, dass es auch seinen eigenen Kronprinzen erwischte. Der einäugige Bill war jedenfalls nicht sehr erfreut, sein linkes Auge gegen einen Spitznamen eingetauscht zu haben. Doch er musste seine Bleispritze im Zaum halten, weil der Boss mit Jimmy zufrieden war. Denn zeitgleich zum Spiel war die größte Lieferung des Jahres eingetroffen. Unbehelligt von der Staatsgewalt, die vollzählig das Spiel verfolgte.

Diesmal hatte Funny Jimmy aber einen Scherz zu viel gemacht. Es war sein letzter geworden. «Auch die Freiheit eines Narren hat Grenzen», hatte der Boss angesichts seines verunstalteten Billardtisches – immerhin sein erklärtes und für alle Sterblichen als heilig zu betrachtendes Möbel – gesagt und dem einäugigen Bill einen Wink gegeben. Da half Funny Jimmy kein Jammern und Betteln. Der Boss war bekannt für seine impulsiven Reaktionen – zumindest wenn es um Möbel ging.

Wenig später stand Bill zusammen mit Beton-James, dem Spezialisten für schnelle Flussbestattungen, wieder im Hinterzimmer, neben ihnen der Billardtisch. Zauberbleistift George war gerade mit dem Vermessen fertig geworden. «Ein vorzüglicher Billardtisch, Boss», sagte er. «Wirklich ausgezeichnete Arbeit. Wenn man einmal davon absieht, dass er dreieckig ist. Ein gleichseitiges Dreieck, um genau zu sein.» Keine Reaktion. Niemand wollte einen weiteren Kommentar zu Funny Jimmys Sägearbeit abgeben, bevor der Boss sich nicht geäußert hatte. Doch der blickte Zauberbleistift nur fest in die Augen. Verunsichert fuhr George fort: «Da er keine Löcher hat, werden wir uns auf Bandenspiele beschränken müssen.» Als er sich der Doppeldeutigkeit bewusst wurde, musste er schlucken. So etwas hasste der Boss. Und George hasste es, im Mittelpunkt zu stehen. Er manipulierte lieber im Stillen die Bilanzen und Steuererklärungen.

«Zeig mir, wie man darauf spielt», knurrte der Boss zwischen den Zähnen hervor. So schnell gab er sein Schmuckstück nicht auf. Dicke Schweißperlen traten auf Georges Stirn. Mit zitternder Hand nahm er eine Kugel und legte sie in die Mitte der von ihm aus gesehen unteren Bande. «Na ja, ich kann zum Beispiel so stoßen, dass die Kugel zuerst an die linke, dann an die rechte und schließlich wieder an die untere Seite kommt. Wenn ich den richtigen Winkel wähle, kehrt sie sogar zu ihrem Ausgangspunkt zurück.» Vor Angst zitternd musste er dreimal ansetzen, um überhaupt die Kugel zu treffen. Der einäugige Bill schob ihn beiseite. «Lass mich ran, du Waschlappen», stieß er aus. Mit Schwung schickte er die Kugel los, doch sie nahm einen ganz anderen Weg. «Das war die falsche Richtung», flüsterte George. «Bei der Reflexion an der Bande sind Einfallswinkel und

Ausfallswinkel gleich, deshalb gibt es nur einen genau definierten Winkelbereich, der die Kugel erst an die Seite *a*, dann *b* und wieder *c* treffen lässt.» «Und der wäre, du Bleistiftspitzer?» Bedrohlich baute Bill sich vor ihm auf, die rechte Hand in der Jackentasche, in der seine Kanone steckte.

«Das könnt ihr immer noch herausfinden», unterbrach der Boss scharf den Streit. «Wenn mein Billardtisch ein gleichseitiges Dreieck ist, dann will ich auch wissen, welche Figuren man sonst noch darauf spielen kann. Die drei Seiten der Reihe nach zu treffen ist doch sicherlich nur der Anfang, oder, George?» Der Ton in der Frage duldete kein «Nein» als Antwort. «Natürlich, Boss», stammelte der Buchhalter. «Bei bestimmten Winkeln zieht die Kugel periodische Bahnen. Oder sie stürzt ins Chaos. Oder ...» Doch da hörte ihm schon keiner mehr zu. Wie die Kinder probierten der Boss und seine schweren Jungs einen Winkel nach dem anderen aus. Dabei starteten sie immer von der Mitte der Seite *c*. Mitunter war ihr Gelächter so laut, dass man es bis in den Ausschankraum hören konnte. Aber da war niemand, weil an diesem Tag der Polizeiball in einem anderen Bezirk der Stadt gegeben wurde. Auch diesmal hatte Funny Jimmy an alles gedacht, um dem Boss eine überraschende Freude zu bereiten. Nur war sie diesmal zu überraschend gewesen.

In welchem Winkelbereich muss man die Kugel vom Mittelpunkt der Seite *c* abstoßen, damit sie zunächst der Reihe nach die Seiten *a*, *b* und *c* trifft? Gibt es eine Bahn mit der Eigenschaft, dass die Kugel beim dritten Stoß an die Bande wieder genau den Ausgangspunkt trifft (und dann ihre Bewegung getreulich wiederholt)? Gibt es weitere periodische Bahnen (mit möglicherweise anderen Ausgangspunkten)?

9. Urlaubsgrüße von der Insel

LÖSUNG SEITE 110

Wer sagt denn, dass Deutschland keine Kolonien mehr hat? Und was ist mit den vielen schicken Ferieninseln? Die sind im Sommer ja wohl fest in deutscher Hand, da traut sich kein Fremder hin. Mit der Sprache, das haben die Eingeborenen dort ja langsam begriffen. Aber beim Geld und bei den Briefmarken sind die noch ganz schön störrisch. Vielleicht ganz gut, wenn der Euro auch dort hinkommt.

Liebe Else,

viele Grüße von der Insel Dodekai. Das Wetter ist prima, immer scheint die Sonne. Das Essen ist gut. Im Hotel geht nachts echt die Post ab. Fete bis zum Abwinken. Wir schlafen tagsüber am Strand. Das Personal ist ziemlich fleißig, wenn man bedenkt, dass es keine Deutschen sind. Aber das mit dem Geld ist hier total doof. Hier heißt der Euro «Duod» und der Cent «Sing». Zwölf Sing (12 s) sind ein Duod (1 d). Völlig blöd zum Rechnen. Noch schlimmer ist es mit den Briefmarken. Es gibt welche zu 5 s, 9 s, 1 d, 1 d 4 s, 1 d 6 s, 1 d 8 s und 3 d 2 s. Wir haben von allen eine gekauft. An Karla habe ich einen Brief geschrieben und an dich diese Karte. Der Brief kostet eineinhalbmal so viel Porto wie die Karte. Aber dafür sind doch schöne Bilder auf der Karte, oder? Oben rechts, das ist unser Hotel. Unser Zimmer ist im 27. Stock. Ich habe ein Kreuz draufgemalt. Nun ist die Karte voll, und ich habe noch eine Briefmarke über. Du kannst ja mal raten, wie viel Porto ein Brief kostet. Und vergiss nicht, mir alle Folgen von «Deutschland sucht den Super-Knobler» aufzunehmen. Hier kann man das nicht gucken. Ganz viele Grüße von Werner und mir.

Deine Hedwig

10. Pulsierende Schwerkraft LÖSUNG SEITE 112

Astrophysiker haben ein Problem: Ihre Forschungsobjekte sind uralt, riesig groß und furchtbar weit weg. Nur in den seltensten Fällen gelingt es, ein naturgetreues Modell im Labormaßstab zu errichten. Was nicht heißt, dass damit alle Schwierigkeiten überwunden wären. Denn nun lernen die passionierten Theoretiker erst die Sorgen der experimentellen Wissenschaft kennen.

Es war ein großer Schritt vorwärts, als es den Physikern der University of Middlesix in Ohio im Sommer 2017 zum ersten Mal gelang, in ihrem Teilchenbeschleuniger SPEEDY (Super Power Enforcement by Enormous DYnamics) ein künstliches Schwarzes Loch zu erzeugen. Vor allem die dafür notwendige Menge Materie zu besorgen und in die Beschleunigerkammer einzubringen stellte die Ingenieure vor gewaltige Herausforderungen. So hatte der planmäßige Aufkauf von Altmetall an den internationalen Finanzbörsen zu einem dramatischen Wertanstieg von Schrott geführt und infolgedessen als unvorhergesehener und damit in den Kalkulationen nicht berücksichtigter Nebeneffekt das Projekt fast in den vorzeitigen Ruin getrieben. Nur durch den rettenden Einfall des Hausmeisters, die im Keller gelagerten Generationen ausgedienter PCs als Verdichtungsmaterial zu nutzen, konnte das drohende Aus im letzten Moment abgewendet werden.

Ähnlich schwerwiegende Probleme taten sich im technischen Bereich auf. Wie sollte man das mühsam generierte Schwarze Loch daran hindern, mit seiner Gravitationskraft den Erdkern nach oben zu ziehen und sich selbst auf den Weg zum Erdmittelpunkt zu machen? Glücklicherweise fand sich die Antwort gleich um die Ecke im universitätseigenen Institut für diverse Energieformen. Dort experimentierte eine Arbeitsgruppe mit Dunkler Energie – jener einst rätselhaft erscheinenden Abstoßungskraft, deren Existenz Albert Einstein in seiner Allgemeinen Relativitätstheorie postuliert hatte. Ihre hauptsächliche Wirkung macht sich darin bemerkbar, dass sie ein planares Feld generiert, das Massen auseinander treibt. Richtig justiert erzeugt sie so eine gerichtete Abstoßung, mit deren Hilfe sich die Materie ohne weiteren Energieaufwand beschleunigen lässt. (Bekannt ist die tragische Geschichte des genialen Physikochemikers Stephen Onmist, dem es als erstem Forscher gelungen war, Dunkle Energie im Labor zu erzeugen: Ein winziges lokales Feld fiel auf den Boden und geriet unter seine Schuhsohlen, woraufhin Onmist abhob, das Institutsdach durchschlug und auf eine weite Umlaufbahn um die Erde katapultiert wurde.) Nähere Untersuchungen lieferten noch weitere potenziell nützliche Eigenschaften der Dunklen Energie. So lassen sich über die Wechselwirkungen zweier senkrecht aufeinander stehender Felder Distanzen bis hinunter in subatomare Dimensionen exakt bestimmen, und außerdem ist sie hervorragend geeignet, Speiseeis kühl zu halten.

Nachdem die Wissenschaftler einen Generator für Dunkle Energie in den Beschleuniger eingebaut und Schritt für Schritt ausreichende Mengen Hardware auf ein immer kleineres Volumen verdichtet hatten, markierte schließlich ein charakteristisches «Plopp» den Synthesepunkt des ersten künstlichen Schwarzen Loches. Ohne Zweifel ein Triumph für die analytische Forschung. Zugleich aber ein Füllhorn neuer Fragen.

So stellte sich beispielsweise heraus, dass das Schwarze Loch offenbar keinen festen Radius hat, sondern sich zyklisch in Form einer perfekten Kugel aufbläst und wieder kollabiert. Diese so genannte Quantenpulsation verläuft so schnell, dass sie mit konventionellen Methoden zwar qualitativ nachgewiesen, aber nicht quantitativ vermessen werden kann. Einen Ausweg könnte wiederum die Dunkle Energie bieten. Errichtet man zwei senkrecht aufeinander stehende planare Felder in unmittelbarer Nähe des Zentrums des Schwarzen Loches, so schneidet dieses mit jedem Zyklus die Ebenen. Zur Zeit des Maximums entstehen dabei in den Feldern Kreise, deren Radien in ersten Versuchen bei 18 bzw. 25 Nanometern lagen. Außerdem gab es zwei Schnittpunkte der Kreise, die, nach Stärke der Feldinteraktionen beurteilt, einen Abstand von 14 Nanometern voneinander hatten. Da ein Feld Dunkler Energie direkt durch das Zentrum des Schwarzen Loches dessen strukturelle Integrität gefährden würde, muss dessen maximaler Radius aus diesen Angaben berechnet werden. Dummerweise waren zur Bildung des Loches jedoch alle Computer der Universität als Masselieferanten nötig, sodass nun kein Rechner mehr für die Kalkulation zur Verfügung steht.

Daher an Sie die Frage: Welchen Radius hat das Schwarze Loch während seiner größten Ausdehnung? Selbstverständlich werden Sie bei einer wissenschaftlichen Veröffentlichung als Koautor genannt werden.

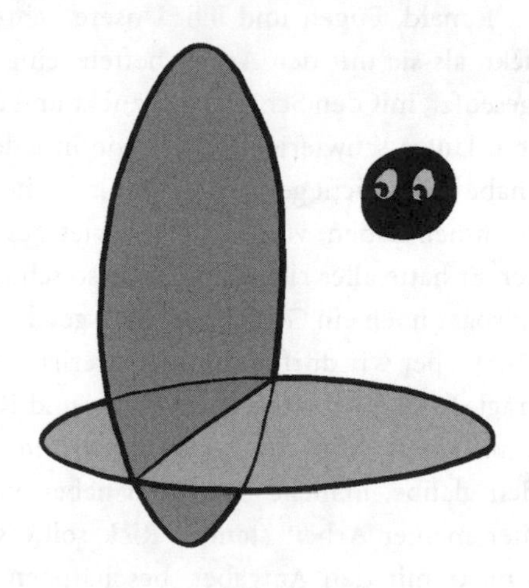

11. Der Groschen

LÖSUNG SEITE 114

Früher war alles besser und der Groschen noch zehn Pfennige wert. Ja, man konnte sich dafür sogar etwas Richtiges kaufen. Süßigkeiten zum Beispiel oder Sammelbilder. Vorausgesetzt, man passte unterwegs gut auf sein kleines Vermögen auf.

Matheprüfungen können prima sein. Eigentlich mag ich die ja nicht so gerne, aber dieses Mal schon. Bei uns in der Klasse haben nämlich fast alle die Grippe, und deshalb waren wir gestern nur zu fünft: Albert, Gregor, Ronald, Eugen und ich. Unsere Lehrerin hat ganz komisch geguckt, als sie mit den Arbeitsheften reingekommen ist. Dann hat sie geseufzt, mit den Schultern gezuckt und die Hefte ausgeteilt. Es waren lauter schwierige Fragen wie in jeder Matheprüfung, und ich habe vieles nicht gewusst. Aber als wir heute die Arbeiten zurückbekommen haben, war meine die viertbeste. Albert war natürlich Erster. Er hatte alles richtig und war so schnell fertig, dass er der Lehrerin sogar noch ein Gedicht ins Heft geschrieben hat. Der spinnt, der Albert, aber wir dürfen ihn nicht verhauen, weil er eine Zahnspange trägt. In den Arbeiten von Gregor und Ronald hat die Lehrerin viel mit rotem Stift durchgestrichen und an den Rand geschrieben. Ich glaube, manche Lösungen haben vielleicht nicht gestimmt. Unter meiner Arbeit stand: «Rick sollte sich bei einer Klassenarbeit mehr mit den Aufgaben beschäftigen und weniger Flugzeuge malen.» Aber meine Note war besser als die von Eugen, das ist nämlich unser Klassenletzter, er schreibt immer die schlechtesten Arbeiten.

Als ich zu Hause Papa und Mama erzählt habe, dass meine Mathearbeit die viertbeste war, haben sie mich mit großen Augen angeguckt.

«Du sollst doch nicht schwindeln», hat Papa gesagt.

Und Mama hat besorgt den Kopf geschüttelt. Ich, ich habe zurückgeguckt und ein bisschen angefangen zu weinen. Ist doch wahr! Da schreibe ich die viertbeste Arbeit, und dann werde ich dafür auch noch ausgeschimpft. Mama hat mich getröstet und den Kopf gestreichelt und gesagt, dass wir nun mal nicht alle Genies sein können. Papa hat sich das Heft genommen und die Seite mit dem Notenspiegel aufgeschlagen. Dann hat er wieder große Augen gemacht und Mama das Heft gezeigt und gesagt, dass er es kaum glauben kann. Ich habe aufgehört zu weinen. Mama hat gelächelt und gemeint, dass so eine Leistung belohnt werden müsse. Sie hat ihr Portemonnaie genommen und mir einen glänzenden Groschen geschenkt.

«Kauf dir dafür etwas Schönes», hat sie gesagt, und Mama und Papa haben ganz stolz gelächelt. Ich bin gleich raus mit dem Groschen, und das war auch besser so, denn als Papa die Seite mit der Bemerkung von der Lehrerin über die Flugzeuge aufgeschlagen hat, war ich gerade an der Tür. Papa hat gerufen: «Also so etwas ...», aber das Weitere konnte ich schon nicht mehr hören.

Auf dem Weg habe ich meinen Groschen hoch in die Luft geworfen und wieder aufgefangen. Ich hatte schon viele prima Ideen, was ich mir von dem Geld kaufen wollte. Zuerst eine Menge Süßigkeiten, Schokolade, Lakritze und Marzipan. Dann einen Haufen Comic-Hefte mit Enten und Mäusen, die auf zwei Beinen gehen, angezogen sind und sprechen können wie Menschen. Und dann den Modellbausatz von dem Flugzeug, das ich im Schaufenster gesehen hatte. Vielleicht sogar ein richtiges Flugzeug, aber da musste ich erst Papa fragen, ob ich es in die Garage stellen durfte, damit es bei Regen nicht nass wurde.

Wie ich mir gerade überlege, ob neben dem Flugzeug wohl noch ein Rennauto Platz hat, ist mir der Groschen runtergefallen. Die Münze kullerte ein kleines Stück auf der Straße und verschwand dann in einem Gully. Ich habe mich gleich hingekniet und in den Gully geschaut. Da lag mein Groschen auf nassem Laub und kleinen Ästen. Ich habe versucht, ihn mit den Fingern zu erreichen, aber es ging nicht, der Gully war nämlich zu tief.

«Papa!», habe ich gerufen und bin zurück ins Haus gelaufen.

Als ich Papa erzählt habe, dass mein Groschen in den Gully gefallen ist, hat Papa sich einen Moment am Kinn gekratzt.

«Rick», hat er gesagt, «nun zeige ich dir, dass man mit einem klugen Kopf mehr erreicht im Leben als mit starken Muskeln.»

Papa hat in seiner Werkzeugkiste gekramt und einen Magneten und eine Schnur hervorgeholt. Den Magneten hat er an die Schnur gebunden, und wir beide sind durch den Garten zur Straße gegangen. Papa hat den Magneten an der Schnur nach unten auf eine Rille im Gullydeckel zubaumeln lassen. Es machte «klack», und der Magnet pappte am Gullydeckel fest.

«Das kriegen wir schon hin», hat Papa gesagt. Er ist in die Knie gegangen, hat den Magneten gelöst und ihn mit den Fingerspitzen durch die Rillen geschoben. Zufrieden hat er sich wieder aufgestellt und den Magneten langsam tiefer herabgelassen.

«Na, gibt es bei euch heute zum Abendessen Kanalforelle?», hat unser Nachbar Herr Goscinny plötzlich von hinten gefragt. Papa und Herr Goscinny mögen sich gar nicht leiden, und sie ärgern sich gegenseitig bei jeder Gelegenheit.

«Ich zeige Rick die Vorteile einer physikalischen Bildung», hat Papa geantwortet. Ich habe Herrn Goscinny und Papa groß angeschaut, denn ich hatte gar nicht gewusst, dass es in der Kanalisation Forellen gibt und dass man sie mit Physik fangen kann.

«Mit dem Winzmagneten wird das doch nie was», hat Herr Goscinny gesagt. «Warte mal.»

Er ist in seinen Gartenschuppen gegangen und gleich darauf mit einem viel größeren Magneten an einer dicken Schnur wiedergekommen. Ich habe schon ein bisschen Angst bekommen, wenn nämlich Herr Goscinny mit seinem großen Magneten alle Forellen auf einmal finge, dann blieben für uns keine mehr übrig.

«Lass mal jemanden mit mehr Power daran», hat Herr Goscinny gesagt und Papa vom Gully weggeschoben. Papa hat seine Schnur aufgewickelt und nur gesagt: «Bitte sehr!»

Herr Goscinny hat seinen Magneten herabgelassen, und mit einem lauten «Tschok!» klackte der an den Gullydeckel. Papa musste lachen, als Herr Goscinny zuerst mit einer, dann mit beiden Händen an dem Magneten zog, um ihn vom Deckel zu lösen. Erst als beide gemeinsam drückten und zerrten, konnten sie ihn durch die Rille zwängen und frei in den Gullyschacht baumeln lassen. Herr Goscinny wischte sich mit einem Taschentuch den Schweiß von der Stirn. Da machte es tief drunten «Tschok!», und der Magnet saß wieder fest. Papa und Herr Goscinny zogen mit aller Kraft zusammen an der Schnur, aber nichts rührte sich.

«Den Magneten kannst du abschreiben», hat Papa gesagt.

«Auf keinen Fall», hat Herr Goscinny gemeint. Er hat Papa die Schnur zum Halten gegeben und ist wieder im Gartenhaus verschwunden. Als er zurückkam, hatte er eine lange Eisenstange in der Hand. Er stemmte sie mit dem einen Ende an den Rand des Gullys und drückte mit seinem ganzen Gewicht das andere Ende herunter. Der Gullydeckel flog zur Seite, und Herr Goscinny fing an, mit den Füßen voran in den Schacht zu klettern. Bis über den Kopf war er verschwunden, was nicht viel war, Herr Goscinny ist nämlich gar nicht so groß.

«Na also», hat er von unten gerufen. «Hier ist dein Groschen, Rick.»

Und er hat mir das Geldstück aus dem Gully gereicht. Dann haben Papa und ich ein lautes Schnaufen und Ächzen hinter uns gehört, und wir haben das wütende Gesicht eines Polizisten gesehen, der eilig auf uns zukam.

«Was ist hier los?», wollte der Polizist wissen.

Papa hat ihm erklärt, dass mein Groschen in den Gully gefallen war und Herr Goscinny nun da unten versuchte, seinen Magneten wieder loszumachen. Der Polizist hat in den Gully geschaut und dann gerufen: «Hallo! Kommen Sie sofort wieder heraus!»

«Nicht ohne meinen Magneten», hat Herr Goscinny geantwortet, «den lasse ich auf keinen Fall los.»

«Mit oder ohne Magneten – Sie kommen auf der Stelle hoch! Oder ...»

«Oder was?», hat Herr Goscinny trotzig gefragt.

«Oder es wird eine deftige Strafe fällig.»

«Wie viel?», wollte Herr Goscinny wissen.

«Moment.» Der Polizist zog ein dickes Buch aus der Tasche und blätterte darin. «Nach Paragraph 42 der Gullyverordnung berechnet sich die Höhe der Strafe aus der Anzahl aller Gullydeckel in der Stadt. Hmmm, das sind insgesamt 2004. Dann ist noch die Anzahl der Rillen wichtig. Aha, vier Stück. Und der Abstand vom gegenüberliegenden Bürgersteig: eins, zwei, drei Meter. Ist der Schacht etwa fünf Meter tief? Offenbar nicht. Dann brauchen Sie nur auszurechnen, wie viele ganze Zahlen bis einschließlich 2004 durch 3 oder 4, aber nicht durch 5 teilbar sind. Schon haben Sie die Höhe der Strafe in Euro.»

Herr Goscinny war einen Moment still.

«Dann bleibe ich lieber hier unten, bis sie weg sind», hat er schließlich gesagt.

«Oh, ich habe Zeit, ich kann warten», hat der Polizist geantwortet.

Papa und ich sind in der Zwischenzeit ins Haus gegangen und haben uns saubere Hosen angezogen. Danach bin ich zum Kaufladen und habe mir von meinem Groschen ein Eis gekauft. Als ich zurückgekommen bin, hat Herr Goscinny immer noch im Gully gesessen und der Polizist oben auf ihn gewartet. Mama hat den beiden ein bisschen später Kaffee und Kekse rausgebracht. Ich habe mich ans Fenster gesetzt und zugeschaut, wie Herr Goscinny und der Polizist Karten gespielt haben, der Polizist hockte auf dem Asphalt, und die Nase von Herrn Goscinny lugte manchmal knapp aus dem Gully hervor. Als es dunkel wurde, hat Mama mich zum Abendessen an den Tisch gerufen. Kaum haben wir gesessen, da hörte man einen Donner, und es fing heftig an zu regnen. Ich habe Papa gefragt, ob die Strafe für Herrn Goscinny sehr hoch sei, und Papa hat gesagt, er weiß es nicht. Mama hat gemeint, das sei ein richtiger Wolkenbruch, und Herr Goscinny holt sich bestimmt eine Lungenentzündung, wenn das Wasser in den Gully fließt.

Nach dem Essen sind Papa, Mama und ich alle ans Fenster, und da haben wir gesehen, wie ein Kran am Gully stand. Das Kabel von dem Kran war ganz straff gespannt, und unten dran hing der Herr Goscinny. Er war klatschnass und wurde langsam aus dem Gully gezogen. In seiner linken Hand schwenkte er triumphierend seinen Magneten. Aber komisch – obwohl er so lange im Gully war, hatte er keine einzige Forelle gefangen.

Wie hoch war wohl das Bußgeld für Herrn Goscinny?

12. Die Bahn kommt

LÖSUNG SEITE 116

Weg mit den Interregios! Nahverkehrszüge aufs Abstellgleis! Nieder mit den Spartarifen! Seien wir doch ehrlich: Das Schlimmste an der Deutschen Bahn sind die Fahrgäste. Also rationalisieren Manager mit Weitblick das Produkt ihres Unternehmens Stück für Stück weg. In Zukunft kommt die Bahn nur noch in Hobbyräumen und Kinderzimmern vor. Und auf den Spielwarenmessen werden die Stände der Modelleisenbahnfirmen immer größer – mitunter etwas überraschend für den Aufbaudienst.

«Hallo? Ja, hör mal, hier ist Günther. Ich stehe in Halle neun ... Wie? ... Ja, ich bin auf der Messe und will gerade aufbauen. Du, da stimmt was mit dem Tisch nicht ... Na, hör doch erst mal zu! Also, der ist doch dreieckig und soll sieben Quadratmeter haben, oder? ... Siehste, hat er nämlich nicht ... Doch, dreieckig ist der schon, aber größer, viel größer ... Moment, ich frag mal nach.

Hallo, Meister! Wie sind denn nun die Maße von dem Tisch? ... Aha! ...

Biste noch dran? ... Die haben jede Kante doppelt so lang gemacht wie bestellt ... Doch! ... Wenn du es nicht glaubst, dann komm rüber und schau es dir selbst an. Mensch, ich sage doch: Dreieckig ist der Tisch. Steht auch in einer guten Ecke, wird viel Publikum anziehen. Aber die Seiten sind doppelt so lang ... Wo das Problem liegt? ... Das ist doch klar. Wir haben nicht so viel Material, Schienen, Häuschen, nicht mal das grüne Streuzeug für den Rasen reicht aus ... Woher soll ich denn wissen, wie viel wir davon brauchen? ... Ja, die Fläche von dem kleinen Tisch war sieben Quadratmeter ... Nee, das kann ich nicht ausrechnen, wie groß der jetzt ist. Ich bin hier zum Aufbauen angeheuert, nicht zum Gehirn-Verrenken ... Ja, das habe ich mir gedacht, dass du das selber nicht weißt. Aber an mir rummaulen ...

Moment, ich frag mal in die Runde: Kann mir jemand verraten, welche Fläche der dreieckige Tisch hier hat?»

13. O'Knobelys letzte Chance LÖSUNG SEITE 118

«Nun ist es genug», denkt Shonett O'Knobely. «Alles hat seine Grenzen, und die sind weit überschritten. Von irgendetwas müssen wir auch leben. Das geht so nicht weiter. Hier kann nur einer helfen: der König der Kobolde.» Doch dessen Hilfe hat ihren Preis.

Shonett O'Knobely wirft einen Blick auf ihren Mann Patrick. Laut schnarchend sitzt, nein – hängt er in seinem Stuhl und schläft seinen Rausch aus. Wieder einmal hat er seinen ganzen Lohn versoffen und verspielt, bevor er spät in der Nacht laut singend nach Hause gekommen ist. Shonett hatte ihn schon erwartet, mit der schwachen Hoffnung im Herzen, dass er dieses Mal genug Verstand oder zumindest ausreichend Willensstärke haben möge, der Sucht zu widerstehen. Vergeblich. Whiskey und Würfel – gegen beide kommt er nicht an. Und so verschleudert er Monat für Monat das Geld, das sie so dringend bräuchten. Von Shonetts magerem Verdienst als Verkäuferin in einem Souvenirgeschäft können sie gerade eben die Miete zahlen, doch schon für ihre kargen täglichen Mahlzeiten muss sie beim Laden an der Ecke anschreiben lassen. «Das Maß ist voll, Patrick O'Knobely», flüstert Shonett, als sie die Haustür öffnet und eingehüllt in ihr großes Plaid nach draußen schlüpft.

Ihr Weg führt sie aus dem Dorf hinaus, zwischen Weiden entlang zum Mochtglrn Hill, dem Berg der Kobolde. «Schließe die Augen, stelle dich auf die Zehenspitzen und pfeife das alte Lied des Windes», hatte ihre Großmutter immer gesagt. Dann sollte der König der Kobolde erscheinen. Shonett hatte nie daran geglaubt, doch was blieb ihr anderes übrig?

Wohl eine halbe Stunde summt, singt und pfeift sie vor sich hin, ohne dass etwas geschieht. Sie will gerade aufgeben, da hört sie ein Räuspern hinter sich.

«Das musst du aber noch üben, schönes Kind!»

Shonett öffnet die Augen und dreht sich rasch um. Vor ihr sitzt ein Männlein auf der Mauer am Wegesrand. Selbst in der dunklen Nacht kann sie erkennen, dass es prächtige Kleider, einen roten Samtumhang und eine kleine Krone aus Gold trägt, die mit kostbaren Edelsteinen besetzt ist.

«Ich hoffe, du hast mich nicht herbeigerufen, um mir etwas vorzusingen», sagt das Männlein. «Dann hätte ich mir den Weg aus dem Mochtglrn Hill heraus besser erspart.»

«Nein, Majestät», antwortet Shonett. «Ich bin verzweifelt und weiß nicht mehr ein noch aus.» Mit Tränen in den Augen, unterbrochen von gelegentlichem Schluchzen, klagt sie dem König der Kobolde ihr Leid. Aufmerksam hört er ihr zu.

«Möglich, dass ich dir helfen kann, mein Kind», sagt der König schließlich. «Doch nur, wenn dein Patrick genug Grips im Kopf hat. Sonst solltest du ihn fallen lassen und dir einen besseren Mann suchen.» Umständlich stopft er seine Meerschaumpfeife, zündet sie mit seinem Daumen an und nimmt ein paar kräftige Züge. «Außerdem will ich auch die Chance auf einen kleinen Vorteil haben bei der Sache. Darum höre mein Angebot: Ich führe deinen Patrick in meinen Berg. Dort werde ich ihm eine schwierige Rätselnuss zu knacken geben. Kann er sie lösen, wird er geläutert zu dir zurückkehren. Versagt er, so muss er für alle Zeiten als mein Diener im Mochtglrn Hill bleiben. Das sind meine Bedingungen. Wir machen es so oder gar nicht. Bist du einverstanden?»

«Ich bin einverstanden», erwidert Shonett schweren Herzens. In gedrückter Stimmung, aber mit einem winzigen Funken Hoffnung macht sie sich auf den Heimweg.

Als Patrick O'Knobely am nächsten Zahltag nach der Arbeit einen Abstecher in seinen Stammpub machen will, sieht er ein kleines, in Lumpen gekleidetes Männlein am Weg stehen.

«Sieh mal einer an: So ein großer Mann und kann trotzdem nicht weiter als seine eigenen Fußspitzen spucken», höhnt es ihm entgegen.

«Was soll das heißen?», fragt Patrick erbost. «Wer bist du? Und wieso behauptest du, ich könne nicht gut spucken?»

«Wer ich bin? Ich bin einer, der besser und weiter spuckt, als du es jemals könntest.» Während dieser Worte zieht das Männlein einen glutroten Rubin aus seiner Manteltasche, groß wie ein Taubenei. «Den hier setze ich als Wetteinsatz, dass ich weiter spucken kann als du.»

«Donnerwetter», denkt Patrick. «Wo hat so ein kleiner Bettler wohl einen solchen Edelstein her?» Mit diesem Schatz wären all seine Probleme gelöst: Er könnte seine Spielschulden begleichen, Shonett würde den Lebensmittelhändler bezahlen, und ein feines Kleid für sie wäre auch noch drin.

«Abgemacht!», schlägt er ein.

Die beiden stellen sich nebeneinander auf, und jeder spuckt eine Prise Kautabak den Weg entlang. Patricks Geschoss fliegt einen guten Meter weiter. Mit breitem Grinsen nimmt er dem Männlein den Rubin aus der Hand.

«Diesmal hast du gewonnen. Ein zweites Mal gelingt dir das nicht», brüstet es sich. «Ich setze noch so einen Stein.»

«So soll es sein», antwortet Patrick guter Dinge.

Wieder spuckt er weiter.

«Den zweiten Stein habe ich nicht bei mir. Er ist bei mir zu Hause», sagt das Männlein. «Komm mit und hole ihn dir. Es ist nicht weit.»

«Dieser kleine Kerl ist keine Gefahr für mich, von dieser Sorte könnte ich es mit fünfen aufnehmen», denkt Patrick und folgt ihm zu einem Stollen, der in den Berg führt.

Kaum sind die beiden in den Stollen getreten, schließt sich das Erdreich hinter ihnen.

«Willkommen in meinem Reich, Patrick O'Knobely», ruft das Männlein aus, das nun königlich gekleidet ist und eine Krone auf dem Kopf trägt. Zu spät wird Patrick klar, dass er dem Herrscher der Kobolde in die Falle gegangen ist.

«Lass uns trinken und spielen», schlägt der König vor. Er klatscht in die Hände, und zwischen den beiden erscheint ein derber Tisch wie aus einem Wirtshaus.

«Nimm einen Schluck Whiskey.»

Mit diesen Worten schiebt der König Patrick einen Trinkbecher in Form eines Würfels zu. Patrick setzt ihn an die Lippen und trinkt. Obwohl er einiges gewöhnt ist, brennt der Whiskey in der Kehle, als würden lauter Rasierklingen darin schwimmen. Doch als Patrick den Becher absetzen will, kann er es nicht. Immer mehr und mehr Whiskey rinnt seine Speiseröhre hinab und schmerzt ihn wie flüssiges Eisen. Endlich versiegt der Strom, und seine Arme gehorchen Patrick wieder.

«Hat es dir geschmeckt?», fragt der König mit einem hässlichen Lächeln. «Von nun ab wird dir jeder Whiskey so munden. Überlege also gut, was du in Zukunft trinken möchtest.»

«Jetzt spielen wir!», befiehlt der König. «Wirf deinen Würfel!» Erstaunt bemerkt Patrick, dass der Becher in seiner Hand sich in einen Würfel gewandelt hat. Er wirft – und der Würfel zerfällt. Als seien die Nähte zwischen einigen Flächen aufgegangen, entrollt der Würfel sich zu sechs flachen, zusammenhängenden Quadraten, die platt auf dem Tisch liegen. Patrick nimmt das Gebilde vom Tisch auf, da hält er plötzlich wieder einen Würfel in der Hand. Er versucht einen zweiten Wurf, mit dem gleichen Ergebnis. Nur sind die Quadrate diesmal anders angeordnet.

«Das nennt man ein Hexomino, Patrick», erklärt ihm der König der Kobolde. «Es sind sechs gleich große, aneinander liegende Quadrate. Ab heute wird jeder Würfel, mit dem du spielen willst, zu einem Hexomino zerfallen.»

«Schluss mit dem Spuk!», ruft Patrick entsetzt aus. «Ich will nach Hause.»

«Oh, du darfst nach Hause», grinst ihn der König an. «Aber nur, wenn du mir sagst, wie viele verschiedene Hexominos es gibt, die man zu einem Würfel falten kann. Weißt du es nicht, musst du hier bleiben und mir dienen bis an das Ende aller Zeiten.»

Geschockt sitzt Patrick am Tisch und sieht dem König der Kobolde in sein lachendes Gesicht. Wie viele Hexominos aus identischen Quadraten (ohne Berücksichtigung der Augen) können zu einem Würfel gefaltet werden? Wie viele?

14. Also, das geht so …

LÖSUNG SEITE 120

Erinnern Sie sich noch an die Hüpfspiele von damals? Mit Kreide Felder auf den Boden malen, ein Steinchen werfen und dann ein- oder zweibeinig von unten nach oben und zurück. Vereinzelt spielen die Kinder es heute noch. Sogar in verschärften Versionen. Da wäre zum Beispiel Knobeli-Hoppeli. Sandra und Johanna haben sich freundlicherweise bereit erklärt, uns die Regeln zu erklären.

«Das ist ganz einfach. Ich sag dir mal, wie das geht: Du malst ganz viele Quadrate auf den Fußboden.»

«Wie ein Schachbrett.»

«Ja, aber nicht so viele. Nur sieben in jeder Reihe.»

«Und von oben auch sieben.»

«Genau, dann hast du sieben mal sieben. Das sind …»

«Eins, zwei, drei, vier …»

«Sieben mal sieben? Lass mich mal überlegen.»

«… fünf, sechs, sieben …»

«Das haben wir noch gar nicht gehabt in der Schule.»

«…. acht, neun …»

«Wir sind erst bis zum Einmalfünf.»

«… zehn … Äh? Und jetzt? Meine Finger sind alle!»

«Ist ja auch egal.»

«Total egal.»

«Jedenfalls brauchst du zwei Steine.»

«Die können beide rund sein. Oder eckig. Oder spitz. Bloß nicht zu groß oder zu klein. Aber beide gleich.»

«Und die schmeißt du auf das Spielfeld.»

«Aber in verschiedene Kästchen.»

«Wo die reinfallen, da ist Feuer.»

«Da darf man nicht drauf.»

«In alle anderen Kästchen musst du reinhüpfen. Zuerst mit beiden Beinen. Dann nur mit dem rechten und dann mit dem linken.»

«Mit dem linken Bein ist voll schwierig.»

«Für dich vielleicht, ich kann das total gut.»

«Du gehst ja auch schon zur Schule. Aber ich bin noch im Kindergarten.»

«Hast du das alles verstanden?»

«Ja!»

«Dich mein ich doch gar nicht. Ich hab doch den Leser gefragt.»

«Ach so, den.»

«Wenn du das jetzt verstanden hast, dann musst du uns auch was helfen.»

«Etwas total Schweres.»

«Wir wollen nämlich wissen, wie viele verschiedene Spielfelder es gibt.»

«Weil doch die Steinchen immer woanders Feuer machen können.»

«Aber es gilt nicht, wenn zum Beispiel die Steinchen so liegen, und ich gehe ein bisschen um das Feld herum auf eine andere Seite, und dann liegen sie genau wie bei einem anderen Wurf.»

«Ja genau, es gilt nicht, wenn man das Spielfeld einfach drehen kann.»

«Die müssen schon richtig verschieden sein.»

«Echt.»

«Weißt du jetzt, wie viele verschiedene Spielfelder es gibt?»

«Ich zähl mal an den Fingern ab: eins, zwei, drei ...»

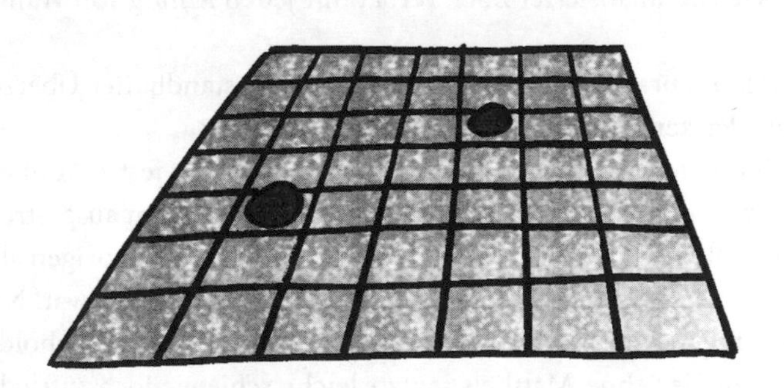

15. Ein Crashkurs in Aktienhandel LÖSUNG SEITE 122

Die internationalen Finanzbörsen sind wahrlich eine Welt für sich. Und das ist auch gut so. Denn wer könnte noch ruhig schlafen, wenn er wüsste, wie die schnieken Broker mit unserem hart verdienten Risikokapital umgehen? Eine kleine Kostprobe von unserem Insider auf dem Parkett gefällig?

«Was ist das?» Ein wenig verwirrt betrachtete ich die Schnur in meiner Hand.

«Ein Shareholdervalue», antwortete Matthew und rückte seine Krawatte zurecht.

«Sieht aus wie ein Stück Seil», meldete ich zaghaft meine Zweifel an.

«Tickst du noch richtig?» Matthew erstarrte mitten in der Bewegung und starrte mich mit großen Augen an. «Mit einem Seil kannst du dich aufhängen, wenn wir es nicht schaffen, diesen Börsencrash zu stoppen. Und dafür brauchen wir das hier.» Er hielt mir seine linke Hand unter die Nase, die Enden von vier weiteren Shareholderbändchen baumelten zwischen seinen Fingern. «Nur mit richtig aufgespannten Values lassen sich diese untamed Fonds noch redistributieren.»

Ich hatte kein Wort von dieser Erklärung verstanden, doch Matthews leicht fanatisierter Blick verbat mir jeden Anflug von Wankelmut.

«O.k.!», sprach ich mannhaft mit dem Ton standhafter Überzeugung. «Packen wir's also an. Was soll ich machen?»

«Knote den Value dort an dem Painstack-Index fest.» Aufmerksam beäugte Matthew, wie mein Blick unsicher seinem ausgestreckten Zeigefinger folgte. Er deutete offenbar auf einen klapprigen alten Stuhl, dessen Sitzfläche voll eingetrockneter Farbspritzer war. Nach einem kurzen Zögern band ich das eine Ende meines Shareholdervalues an die Lehne. Matthew seufzte leicht, schien jedoch zufrieden.

«Für einen kleinen Moment dachte ich schon, du hättest alles vergessen, was man dir auf dem Pioneer Advanced Numeric Incasso College (PANIC) beigebracht hat. Fast sahst du so aus wie jemand, der nach dem gesunden Menschenverstand handelt.» Verächtlich blickte er auf seine teure Rollup-Uhr. «Wird höchste Zeit, dass die anderen mit den Aktionären hier auftauchen.»

Kaum hatte er den Satz zu Ende gesprochen, schwangen die großen Flügeltüren auf, und eine große Menge älterer Herren in maßgeschneiderten Nadelstreifenanzügen strömte herein. Erst beim genaueren Hinsehen bemerkte ich, dass auch einige Damen darunter waren, die in ihren unbequemen Designerschuhen nur mühsam mit der Masse Tippelschritt halten konnten. Eine Hand voll breitschultriger Anzugträger mit großen Cowboyhüten auf den Köpfen achtete durch kleine Hiebe mit langstieligen Peitschen peinlichst darauf, dass niemand aus dem Strom ausbrach oder zurückfiel. Sie trieben die Menschen in ein kreisrundes Gatter in der Mitte des Saales. Kaum waren alle darin, sperrte der größte Treiber das Gatter hinter ihnen zu und reckte eine Faust mit hochgestrecktem Daumen zu Matthew.

«Wir haben sie», rief Matthew mit offenkundiger Genugtuung. «Nun bist du dran.»

«W-womit?» Plötzlich wurde mir sehr heiß in meinem Anzug. Die Krawatte schnürte mir die Blutzufuhr zum Gehirn ab. Ich versuchte, mit dem Zeigefinger meinen Kragen zu lockern.

«Hör mal: Jetzt ist Schluss mit den Späßen! Du weißt genau, dass wir den gewaltigsten Börsencrash aller Zeiten erleben, wenn du nicht ganz schnell diese Aktionäre in neue Anlegergruppen einteilst. Mach hinne, Mensch!»

Mir war, als sei Matthew nun ernsthaft wütend. Sein Gesicht war puterrot, und Schweißtropfen standen ihm auf der Stirn. Ich wusste nicht, ob sie vom Zorn über mein Zaudern kamen oder aus reiner Angst.

«W-w-was soll ich denn tun?», flüsterte ich, und meine Beine fingen gegen meinen Willen an zu schlottern.

«Beim heiligen Dax», brüllte Matthew. «Du musst diese Leute mit den fünf Shareholdervalues in möglichst viele Gruppen teilen.

Spann die Dinger quer durch die Menge, aber zieh sie ordentlich straff, damit es keine Schlaufen oder so gibt. Und mach schnell!»

Ich schluckte. Alle Blicke waren auf mich gerichtet. Matthew, die Treiber mit den Cowboy-Hüten, die Aktionäre in ihren Anzügen, sogar die Damen auf den Cent-Absätzen – sie alle sahen mich an. Flehentlich, als sei ich ihre letzte Rettung. Und wirklich: Ich bin ihre letzte Rettung. Oder nicht. Denn ich habe absolut keine Ahnung, in wie viele Gruppen ich diese Leute mit meinen fünf Schnüren maximal aufteilen kann. Es ist wie ein Albtraum, aus dem mich nur einer erwecken kann: Sie! Sagen Sie mir die Lösung. Schnell, bitte!

16. Eine patente Klagewelle LÖSUNG SEITE 124

Die in diesem sowie anderen mathematischen Texten enthaltenen Ziffern 0, 1, 2, 3, 4, 5, 6, 7, 8 und 9 unterliegen dem globalrechtlichen Schutz des Knobelpatents 987654321, unabhängig von der Art der Darstellung oder Form der permanenten oder zwischenzeitlichen Speicherung in handschriftlicher, gedruckter, elektronischer oder neurovisueller Form. Mit dem Lesen dieser Zeilen erkennen Sie die patentrechtliche Lage an und verpflichten sich, bei Nutzung der genannten Ziffern unaufgefordert und unverzüglich die gesondert festzulegende Lizenzgebühr an den Patentinhaber zu entrichten. Zuwiderhandlungen sind als schwere Straftat anzusehen und werden mit besonders kniffligen Dreisatzaufgaben und im Wiederholungsfalle mit Entzug der Rechenerlaubnis geahndet.

Es war ein strahlender Frühlingstag in Washington. Die Rotoren der Helikopter zwitscherten fröhlich vor dem Weißen Haus, und ein streng dreinblickender Herr im teuren Nadelstreifenanzug hielt auf dem Weg vom Hubschrauber zum Gebäude krampfhaft einen braunen Pappumschlag fest, während er mit der anderen Hand sein Toupet am Fortfliegen hindern wollte und ihm der Luftzug ständig seine Krawatte ins Gesicht schlug.

«Sofort zum Präsidenten!», rief er dem entgegenkommenden Bediensteten entgegen.

«Aber der Herr Präsident ist noch nicht aufgestanden», versuchte jener ihm entgegenzuhalten.

«Mann, hier geht es um die nationale Sicherheit! Das hier», der Nadelstreifenträger hob drohend den Umschlag, «wird ihn garantiert wach machen. Glauben Sie mir.»

Zwei Flure und fünf Türen weiter zappte der Präsident zur gleichen Zeit im Morgenmantel durch die TV-Programme.

«Nachrichten, Politik, Bildungsprogramme ...», schimpfte er. «Warum gibt es keine Micky Maus um diese Zeit, die dem Kater eine Bratpfanne ins Gesicht schlägt, so wie früher, als ich klein war?»

«Das war nicht Micky Maus, Schatz, sondern Tom und Jerry», antwortete die Stimme der First Lady beiläufig, ohne dass ihre Augen sich auch nur einen Wimpernaufschlag von der Modezeitschrift gehoben hätten.

«Ah, Micky Maus, Tom und Jerry. Das ist doch egal. Hauptsache, nicht so ein ernstes Zeug. Ich will was zum Lachen haben.» Als er einen Kanal mit Bugs Bunny in der Werbung für gesalzene Karottenchips aus Maismehl fand, stoppte er das Zappen. «Na also, warum nicht gleich so?», knurrte er zufrieden.

«Mr. President, wir haben ein Problem.» Ein wenig außer Atem und mit leicht verrutschtem Toupet trat der Herr im Nadelstreifenanzug in den Raum, den Pappumschlag in der vorgestreckten Hand.

«Ja, Mann, Sie haben wirklich gleich ein Problem», fuhr ihn der Präsident ungnädig an. «Wie können Sie es wagen, mich beim Fernsehen zu stören?» Trotzig drückte er seinen Daumen auf den Lautstärkeregler der Fernbedienung und ließ die TV-Knusperflocken mit 80 Dezibel in die Schüssel donnern.

«Mr. President», versuchte der Nadelgestreifte den Apparat zu überbrüllen. Doch der Präsident konterte mit 120 Dezibel. Da fasste sein Kontrahent sich ein Herz und zog den Stecker aus der Dose. Schlagartig war es bedrohlich still im Raum. Der Präsident blickte verwirrt auf die leere Mattscheibe, dann auf die Fernbedienung in seiner Hand und schließlich auf den Herrn mit Umschlag und Stecker.

«He, was fällt Ihnen ein?», brauste er auf. «Wissen Sie etwa nicht, mit wem Sie es zu tun haben? Ich bin der Präsident! Sie haben soeben Ihrem Präsidenten den Stecker während seiner Lieblingssendung rausgezogen. Wer sind Sie überhaupt, Mann?»

«Mr. President, ich bin Ihr Vizepräsident, und seien Sie versichert, dass ich niemals gewagt hätte, Sie zu stören, wenn es nicht von allerhöchster Wichtigkeit und Dringlichkeit wäre», stieß der Vizepräsident in Nadelstreifen schnell hervor.

«Was kann wichtiger sein als meine TV-Show?»

«Wir werden verklagt, Mr. President. Sehen Sie selbst.» Der Vizepräsident öffnete den Umschlag und zog einen Stapel Unterlagen hervor. «Insgesamt 45 Klagen. Viele davon in Milliardenhöhe. Wenn die durchkommen, dann können wir einpacken, Mr. President.»

«Wieso Klagen? Ich bin demokratisch gewählt – der Wähler ist für meine Fehler verantwortlich. Wie kann er mich dann verklagen?»

«Es geht nicht um Sie persönlich, Mr. President. Eher um die Vereinigten Staaten von Amerika. Und die Kläger sitzen im Ausland. Hier zum Beispiel verweist ein Grieche darauf, dass seine Vorfahren vor rund 2500 Jahren die Demokratie erfunden haben. Die Rechte dafür seien auf ihn übergegangen, und nun verlangt er von uns Lizenzgebühren für die Nutzung des geistigen Eigentums seiner Urahnen. Außerdem Nachzahlungen für die Zeit seit Einführung des Wahlrechts.»

«Ein Grieche? Wo liegt denn Griechenland? Ist das nicht in Italien?»

«Nicht ganz, Mr. President. Aber aus Italien ist auch eine Klage dabei. Eine Nachfahrin von Amerigo Vespucci fordert ebenfalls Lizenzgebühren. Wegen der Verwendung des Namens ‹Amerika›, der auf ihren Familiennamen zurückgeht.»

«Aber was können wir dafür, dass die gute Frau so heißt?»

«Das hier könnte auch gefährlich werden, Mr. President. Eine Liselotte Müller aus Deutschland verlangt Schmerzensgeld als Wiedergutmachung für die seelische Grausamkeit, die sie durch unsere Fernsehserien erlitten hat. Der Klage liegt ein psychiatrisches Gutachten bei, dass die Frau noch heute Angstzustände bekommt, wenn sie daran denkt, wie Lassie verloren gegangen ist.»

«O Mann, daran kann ich mich auch noch erinnern. Das war wirklich hart damals. Aber Lassie hat doch am Ende wieder zu seiner Familie gefunden, oder? Ich meine, es war ein amerikanischer Film ... die können doch gar nicht schlecht ausgehen.»

«Lassie ist schon lange tot, Mr. President. Der Punkt ist, dass diese Klagen auf chlorfrei gebleichtem Papier gedruckt sind – wir können also wegen dieses Formfehlers die Anerkennung als Sammelklage abschmettern und das Ganze in lauter Einzelverfahren zerfleddern.

Ich habe da einen Präzedenzfall gefunden, der sich in fünf Jahren an der University of Middlesix in Ohio in der Fakultät für experimentelle Zeitlosigkeit wegen Schummelns bei einer Zwischenprüfung entwickeln wird. Der dürfte auf unser Problem übertragbar sein.»

Der Vizepräsident zog eine kleine Mappe aus dem braunen Umschlag. Sein Staatsoberhaupt wirkte seltsam geistesabwesend und hielt den leeren Blick auf den Fernseher gerichtet.

«Wir stützen uns dabei auf Primzahlen. Ich habe das überprüft: Auf Primzahlen hat bislang noch niemand ein Patent angemeldet, die dürfen wir also benutzen. Die 45 Klagen werden gemäß dem erwarteten Streitwert geordnet und beschriftet. Wir haben einen Fall, in welchem der Kläger das gesamte sichtbare Universum einfordert – der bekommt die Ziffer 1. Dann zwei, die sich mit der Erde zufrieden geben würden – das gibt jeweils die Ziffer 2. Dreimal will man von uns den nordamerikanischen Kontinent – also dreimal die 3. Und so geht es weiter mit vier Vieren, fünf Fünfen etc. bis zu neun Neunen bei Klagen, in denen es um eine Gratis-Cola im nächsten O'Donald's geht.»

Eine Träne kullerte über die linke Wange des Präsidenten. Sein Vize bemerkte es nicht und redete ungebremst weiter.

«Wir können unsere Gegner mürbe machen, indem wir die einzelnen Prozesse teilweise miteinander koppeln und dadurch in absurden Verknüpfungen agieren. Die Gerichte lassen das zu, wenn die Nummern der Klagen zu Primzahlen kombiniert werden und die Summe dieser Primzahlen minimal ist. Eine Klage der Kategorie 9 darf folglich nicht alleine verhandelt werden, da 9 keine Primzahl ist. Zusammen mit einem Fall aus der Kategorie 2 ließe sich dagegen die Primzahl 29 bilden – das geht also. Nur muss die Gesamtsumme der Primzahlen eben so klein wie möglich sein. Und da ist der Haken: Meine Jungs brechen schon den ganzen Morgen die Bleistifte ab bei dem Versuch, die richtige Kombination zu finden und die Primzahlensumme an das Gericht zu übermitteln. Wenn wir da nicht schleunigst Hilfe bekommen, geht es uns an den Kragen, Mr. President. Hallo, Mr. President?»

Besorgt beugte der Vizepräsident sich zu seinem Vorgesetzten nieder, der leise schluchzend auf dem Sofa zusammengesunken war.

«Ist Ihnen nicht gut, Mr. President? Soll ich den Arzt rufen?»

Mit großen feuchten Augen sah der Präsident auf.

«Lassie war so ein guter Hund», schluchzte er schwach.

Wenn Sie sich emotional wieder gefangen haben, können Sie vielleicht dem Vizepräsidenten helfen und schnell ausrechnen, wie die gesuchte minimale Summe der Primzahlen lautet.

17. Der quadratische Stern von Bethlehem

LÖSUNG SEITE 126

«Wer zu früh kommt, den bestraft das Leben!» Nicht genug damit, dass der Engel Cubicus – zuständig für Sterne, Kometen und Massensterben von Dinosauriern – bei den Mitengeln wenig Begeisterung für seine avantgardistischen Schöpfungen von Himmelsobjekten findet. Zu allem Überdruss erweist sich die Konstruktion des Modells ‹Stern von Bethlehem› als ausgesprochen schwierig. Doch wie es bei wichtigen Projekten nun einmal so ist: Es herrscht Zeitdruck, und der Chef persönlich wirft ein Auge auf die Fortschritte.

Fünf, sechs oder sieben Zacken – so sieht doch jeder Stern aus. Dieser hier, der Stern von Bethlehem, ist aber was ganz Besonderes. Und das soll jeder, der ihn am Himmel betrachtet, auf den ersten Blick erkennen. Kein exzessives Zickezacke! Auf das Wesentliche beschränkt! Klare Geraden und rechte Winkel. Eine sauber gestylte Sache also. Und funktionell muss er sein! Schließlich soll er ja als Wegweiser für das Empfangskomitee dienen. Weise, Astronomen, Magier … jedenfalls Leute, die etwas von Sternen, Zeichen und wahrer Kunst verstehen. Jeder aus einer anderen Stadt, einem fremden, weit entfernten Land.

Drei Weise aus drei Ausgangsstädten und ein Zielort. Also vier Punkte in einer Ebene. Rechte Winkel müssen allerdings schon sein. Somit ein Quadrat. Ja, der Stern von Bethlehem soll quadratisch leuchten. Und auf jeder der Seiten – oder deren Verlängerung – liegt einer der vier Punkte. Genial! Der Boss wird begeistert sein. Mal eben mit Zirkel und Lineal eine kleine Vorskizze machen …

Da weder die Bibel noch irgendein anderes Werk der Zeitenwende einen quadratischen Stern erwähnt, müssen wir davon ausgehen, dass Cubicus wohl mit seinem ehrgeizigen Plan gescheitert ist. Und in der Tat ist es nicht so einfach, die gewünschte Figur zu konstruieren. Falls Sie keine ästhetischen Einwände gegen kubistische Sterne haben, können Sie es ja selbst einmal versuchen. Und sollte es Ihnen ergehen wie Cubicus, dann machen Sie es doch einfach wie wir: Schauen Sie bei einer klaren Winternacht aus dem Fenster, und genießen Sie die guten, altmodischen Sterne mit den vielen Zacken und ihrem lustigen Funkeln.

18. Zwei Schatten

LÖSUNG SEITE 127

Seit seiner Jugend hatte Franz K. in Prag gelebt, gelernt und gearbeitet, ohne sich auch nur das geringste Verschulden anzulasten oder wenigstens einem der anderen Bewohner der Stadt unangenehm aufzufallen. Alleine, nur begleitet von seinem Schatten, ging er durch die abendlichen Straßen in Richtung seiner Wohnung.

An diesem Abend hatte K. es nicht eilig. Seine Angelegenheiten liefen überaus zufrieden stellend, die Arbeit hatte ihm nicht viel Mühe gemacht, und die Kollegen waren freundlich gewesen, wie sie es stets zu sein pflegten an einem Freitag. In seinem tadellosen Anzug mit dem steifen Kragen, der K. zwar ein wenig das Atmen erschwerte, doch dafür seiner Erscheinung Seriosität verlieh, folgte er gemessenen Schrittes der Straße, bog aus einer plötzlichen Laune heraus in eine Seitenstraße ein und fand sich vor der mächtigen Fassade einer Basilika im romanischen Stil wieder. Hier war K. niemals zuvor gewesen, noch hatte er von der Existenz dieser Kirche gewusst. Die wuchtige Erscheinung der schweren Mauern atmete eine beklemmende Düsternis aus, welcher sich die Verlockung des Rätselhaften hinzugesellte. Kurz entschlossen trat K. an das Portal, drückte den Öffner, dessen Form den Konturen eines überdimensionalen Käfers entsprach, öffnete die Tür, welche erstaunlich leicht in ihren Angeln aufschwang, und trat ein.

Kaum hatte K. die Halle betreten, schloss sich die Tür hinter ihm. Es war dunkel. K. brauchte eine Weile, bis sich seine Augen an die Finsternis gewöhnt hatten und das Licht der einzigen Kerze wahrnahmen, die schräg hinter ihm an der Wand befestigt war, dick wie ein Arm und mehrere Meter lang. Ihr Docht brannte flackernd über seinem Kopf und warf einen unruhigen Schatten in die düstere Halle, in welcher es, dem Brauchtum damaliger Zeit entsprechend, keine Chorstühle, Bänke oder andere Sitzgelegenheiten gab. Zögerlich, um nicht einen möglichen weiteren Besucher des Gotteshauses anzustoßen oder gegen ein vielleicht doch vorhandenes, aber wegen der mangelnden Beleuchtung nur schwer zu erkennendes Möbel zu treten, machte K. einige Schritte in den Raum hinein, indes hielt er ob des Widerhalls, der die lastende Stille zerriss, bald inne. Er stand nun fünf Meter von der Wand entfernt, an welcher die einsame Kerze ihr schwaches Leuchten aussandte, und sein Schatten erstreckte sich über drei Meter, obwohl K. selbst mit Schuhen nur einen Meter und achtzig Zentimeter maß.

Da vernahm er ein klickendes Geräusch, das, zunächst kaum vernehmbar, als sei es nur eine Täuschung der Sinne, hervorgerufen durch den ungewöhnlichen Mangel an Eindrücken in dieser seltsamen Umgebung, allmählich klarer und lauter wurde und sich ihm näherte. K. wagte nicht, sich umzudrehen und durch diese unbedachte Bewegung womöglich erst auf sich aufmerksam zu machen. Im Schattenspiel auf dem Boden gewahrte er das Erscheinen eines weiteren Umrisses neben seinem eigenen, obgleich diese neue Kontur keinesfalls die Züge eines Menschen nachzeichnete, sondern vielmehr einem riesenhaften Insekt ähnelte. Einer Gottesanbeterin. Das allein hätte K. keineswegs seines Mutes beraubt, bestünde auch nur die geringste Wahrscheinlichkeit, dass der mittlerweile fünf Meter lange Schatten lediglich die grotesk vergrößerte Projektion einer weit entfernt sitzenden Gottesanbeterin von durchaus natürlichen Ausmaßen wäre. Im Augenwinkel erblickte K. jedoch direkt neben sich zwei mit scharfen Widerhaken besetzte Greifarme in festen Chitinpanzern.

Es war nur der Dunkelheit zu verdanken, dass die Gottesanbeterin K. nicht gesehen und sofort getötet und verspeist hatte. Sich dessen bewusst, verfolgte K. seine Strategie der Regungslosigkeit weiter und beobachtete, wie sein Schatten im Laufe einer Stunde wegen der gleichmäßig abbrennenden Kerze allmählich auf vier Meter Länge anwuchs, jener der Gottesanbeterin entsprechend mehr. Im Bemühen, einen Weg aus seiner verzweifelten Lage zu finden, strengte er sich an, Strukturen in der Halle auszumachen, die ihm als Versteck dienen oder in anderer Weise von Nutzen sein könnten. Doch abgesehen von einem Altar, der zwanzig Meter von ihm und dem Insekt in der Richtung stand, in welche ihre Schatten wiesen, war das Hauptschiff vollkommen leer, und die Seitenschiffe verloren sich zur Gänze im Dunkeln.

Die Situation hatte sich in einem metastabilen Zustand der Ruhe gefangen, mit der lauernden Gottesanbeterin, die – ohne es zu wissen – an der Seite ihrer Beute stand und auf ein unbedachtes Zucken, einen hoffnungslosen Fluchtversuch oder ein anderes Zeichen des Verrats am eigenen Leben wartete, dem fortwährend nach einer Lösung grübelnden K. und ihrer beider Schatten, die im Lichte der kürzer werdenden Kerze langsam auf den Altar zustrebten. Als die Spitze des Schattens der Gottesanbeterin den Fuß des Altars berührte, bewegte K. seinen Kopf, um der unerträglich gewordenen Pattsituation ein Ende zu bereiten. Im gleichen Augenblick trennte das Insekt mit einem einzigen Hieb sein Haupt vom Körper.

Wie lange hatte K. unbeweglich neben der Gottesanbeterin ausgeharrt?

19. Börsenpanik um heiße Luft LÖSUNG SEITE 130

Katerstimmung herrscht auf dem Parkett, das die Macht bedeutet. Suizidgefahr – schlimmer noch: Selbstzweifel liegen in der Luft. Wie konnten sie es nur übersehen? Wieso hatten sie ausgerechnet das vergessen? Und warum hilft einem in dieser Situation auch kein Harvard-Diplom mit Goldkränzchen aus der Patsche? Da ist heiße Luft seit Jahren das Produkt der Börsen in aller Welt schlechthin, und dennoch hat niemand die Aktien dafür im Auge behalten. Das kommt teuer zu stehen. Sehr teuer!

(Middlesix/Ohio) Der gestrige Kurseinbruch an den Börsen und internationalen Handelsplätzen, den die Broker als «schwärzesten Montag» aller Zeiten bezeichnen, obwohl es eigentlich ein Mittwoch war, ist auf menschliches Versagen zurückzuführen. Dies teilte der kommissarische Leiter der neu gegründeten globalen Notbank, Dr. Friedhelm Utsch, am späten Abend der Presse mit. Einen Ausweg aus der Misere sah er nicht. «Vielleicht können wir die entstandenen Finanzlücken diesmal mit kaltem Kaffee auffüllen», gab Utsch in seinem kurzen Statement zu bedenken.

Seit jeher gehört der Umgang mit heißer Luft zu den Hauptbeschäftigungen an den Börsen in New York, Tokio und Neu-Dorsten. Vor rund vierzig Jahren war auf Vorschlag des Volkswirts Professor Gerhard E. Mein deren Menge limitiert und der Wert in Form versteckter Aktien gehandelt worden. Da heiße Luft der unbestreitbaren Neigung nachgeht, spontan zu verpuffen, muss der Vorrat jedoch wöchentlich aufgefüllt werden, um einem Wertverfall entgegenzuwirken. Ansonsten wäre mit einer degressiven Kapitalentwicklung nach der Formel $A_{(n+1)} = A_n / (1 + A_n)$ zu rechnen, worin n als Laufvariable die Woche angibt.

Am «schwärzesten Montag» nun stellten die Makler fest, dass sich seit $n = 2001$ Wochen niemand mehr um das begehrte Produkt gekümmert hatte. «Die haben es einfach verpennt», so Utsch, «weil ihre Köpfe mit Lappalien wie Erdöl und Computerchips zugestopft waren.» Die Nachricht löste Panik bei den Händlern aus. Ein japanischer Broker versuchte, sich das Leben zu nehmen, indem er Harakiri mit seinem Laserpointer beging. Zwei Kollegen an der Börse in Neu-Dorsten stürzten sich in einen Sudkessel der ortsansässigen Aktienpilsener-Brauerei. Nur durch den Einsatz der umliegenden Feuerwehren und zweier Hundertschaften der Bereitschaftspolizei konnte der Behälter rechtzeitig geleert und die beiden Wirtschaftler gerettet werden.

Spekulanten wie Mathematiker sind zu geschockt, um die genauen Verluste zu berechnen. Utsch wendet sich daher mit einem Appell an die Bevölkerung: «Wie berechnet man denn nun, wie viel Kapital noch da ist nach $n = 2001$ Wochen, wenn der Anfangswert $A_0 = A$ war?»

20. Olympisches Ausweichstadion

LÖSUNG SEITE 132

Krisenstimmung im Internationalen Olympischen Komitee. Natürlich reicht die Anzahl der Hotelbetten nicht aus für die erwarteten Besucher, natürlich verschlingen die Vorbereitungen mehr als das Dreifache der veranschlagten Kosten, und natürlich wird ein bedeutender Teil der Stadien und sonstigen Sportanlagen nicht rechtzeitig zur Eröffnung der Spiele fertig. Die üblichen Dramen also, doch diesmal hofft man, mit kreativen Maßnahmen das drohende Chaos abzuwenden.

«Was für ein schöner Urlaub das doch war», denken Herr und Frau Knösel gemeinschaftlich seufzend, als sie endlich ihre beiden quengelnden Kleinen mit tatkräftiger Unterstützung der zwei Stewardessen in ihren Sitzen festgeschnallt haben. «Wie gut, dass bald Wochenende ist und wir uns von den Ferien erholen können.»

«Was für ein schönes Haus hier doch einmal stand», denken Knösels fünf Stunden später, während sie dort aus dem Taxi steigen, wo sie bis vor kurzem zu Hause waren und eigentlich auch noch zu sein geglaubt hatten. Paul Knösel blickt nach links, Erna Knösel schaut nach rechts. Die Straße ist richtig, die Nachbarhäuser stehen noch und blicken bieder verschwiegen vor sich hin. «Du, Papa. Wo ist eigentlich unser Haus abgeblieben?», fragt Sohnemann Knösel. «Ja», sagt der Papa nur.

«Da hat es wohl einen Planungsfehler gegeben», sagt der Beamte im Baudezernat. «Sehen Sie: Wenn man den Plan so herum hält, dann sind rechts unten die Sportanlagen. Da sollten die neuen Stadien hin. Dreht man die Karte aber um 90 Grad, dann liegt rechts unten Ihr Haus. Und da bauen wir die Stadien jetzt. Kann man nichts machen.» «Ach», sagt Frau Knösel. «Unter uns», der Beamte zwinkert Knösels verschmitzt zu, «wir hatten uns auch schon gewundert, warum da so wenig Platz ist. Immerhin sollen dort vier Sportanlagen hinpassen. Außerdem stand da noch ein Haus drauf, aber das ist ja inzwischen weg.»

«Kalle, rutsch mal zur Seite, und nimm deine Bierflaschen vom Tisch. Du hast Gäste», sagt der Bauleiter zu dem Mann im Unterhemd. «Das ist Familie Knösel. Denen gehört das Grundstück hier, auf dem wir die Stadien bauen. Die Stadt hat angeordnet, dass sie erst mal in deinem Bauwagen wohnen sollen, bis wir ihnen ein Zelt besorgt haben.» Erna Knösel lächelt verlegen. «Ein Familienzelt», wirft Paul Knösel ein. Kalle kratzt sich.

«Sie können sich nicht vorstellen, was für Probleme wir zu lösen hatten», erklärt der Architekt Herrn Knösel. «Ihr Grundstück ist ja quadratisch mit nur 24 Meter Kantenlänge. Und da sollen vier Wettbewerbe mit völlig unterschiedlichen Ansprüchen drauf stattfinden. Kaum zu schaffen, sag ich Ihnen.» Mit der linken Hand weist er auf einen Wimpel, die rechte beschreibt einen Bogen. «Am einfachsten war noch die Bahn fürs Eckenrechnen. Die läuft außen herum. In jeder Ecke eine Aufgabe, das geht schon. Schwieriger wurde es bei der Anlage für Cross-Blindekuh. Dafür mussten wir eine Diagonale quer über das ganze Gelände ziehen, von der Ecke hinten links nach vorne rechts. Seien Sie vorsichtig: Wir haben bereits die Fallgruben ausgehoben und die Stolperleinen gespannt.» Beunruhigt schaut Frau Knösel ihrem Töchterchen nach, das soeben kopfüber von der Bildfläche verschwindet.

«Kirschkerndreispuck!» Kalle weiß, was er hier baut. «An der rechten Quadratkante acht Meter nach oben. Von dort aus gerade rüber zur Ecke vorne links. Das gibt so ’n kleines Dreieck. Darin spucken sie die Kerne. Könnt glatt ’n neuen Rekord geben. Weißt du, ich kenn mich da nämlich aus, mit dem Kirschkerndreispuck. War früher selbst mal aktiv. Landesmeister.» Knösel-Sohnemann weiß nicht. Ihn interessiert mehr das Eckenrechnen. Seine Schwester steht auf Cross-Blindekuh und hat sich heimlich wieder aufs Feld geschlichen.

«Oh, Synchronangeln findet auch hier statt?» Paul Knösel vermag seine Begeisterung kaum zu verbergen. Schon immer hat ihn die raue Grazie dieser Disziplin fasziniert. Selbst seine Frau hat die Übertragung der Meisterschaften im Fernsehen stets mit großer Freude verfolgt, obwohl ihre Blicke insgeheim mehr den athletisch geformten Männerwaden der Teilnehmer galten. Die Grube für den Teich befindet sich im unregelmäßigen Viereck, das hinten rechts von der Cross-Blindekuh-Diagonalen, der Kirschkerndreispuck-Begrenzung, der oberen Quadratkante und dem oberen Teil der rechten Kante gebildet wird. Dort, wo früher das Wohnzimmer, die Küche und die Spielwiese waren. «Was für eine Fläche hat denn der Teich?», fragt Paul Knösel mit Kennermiene. Doch da ist der Architekt schon weg, unterwegs zur nächsten Baustelle. Schließlich muss alles rechtzeitig fertig werden zur Eröffnung der Olympischen Spiele. «Ob wir wohl Freikarten für das Finale bekommen können?», überlegt Erna Knösel. «Ich meine, falls es dem Komitee und der Stadt nicht zu viele Umstände macht.»

Die Sache mit den Freikarten wird Familie Knösel selbst aushandeln müssen. Aber die Fläche des Teichs für das Synchronangeln können Sie doch sicherlich für Herrn Knösel berechnen, oder?

21. Aus der Kinderstube der Tiefseekugeln

LÖSUNG SEITE 134

«Wir wissen mehr über die Oberfläche des Planeten Mars als über das geheimnisvolle Leben am Grunde unserer Meere», rügt so mancher Wissenschaftler angesichts der wieder entflammten und eifrig geschürten Raumfahrt-Euphorie. Und tatsächlich schwimmt, kreucht, fleucht und gleitet in den Tiefen der Ozeane eine Tierwelt durch das dunkle Wasser, die noch in keinem Biologiebuch beschrieben wird. Allzu oft verschwinden deren Arten sogar für immer vom Globus, bevor auch nur ein Mensch sie zu Gesicht bekommen hat.

Wissenschaftler vermuten, dass dort unten völlig neuartige Lebensformen auf ihre Entdeckung warten. Perfekt kugelförmige Wesen mit dem Radius *R* zum Beispiel, die sich rollend fortbewegen. Und diese Tiere – geben wir ihnen einfach mal den Namen *Hypotheticus spectri* – haben auf uns bizarr wirkende Verhaltensweisen. So fangen sie ihre Nahrung, indem sie kleine Krebschen an ihrer Hülle spiegeln und diese dann im Innern genüsslich verdauen.

Besonders interessant sind das Sexualleben und die Jungenaufzucht der *H. spectri*, die über drei statt zwei verschiedene Geschlechter verfügen. Die jeweiligen Partner finden sich über Longitudinalwellen, die sie durch schnelle Kontraktionspulse mit geringer Amplitude aussenden. Treffen drei einander sympathische und biologisch komplementäre Individuen zusammen, walzen sie ein hinreichend großes Stück Meeresgrund flach und kuscheln sich dicht aneinander, sodass sich alle drei Kugeln berühren. Alsdann sprießt aus jedem *H. spectri* eine kleine Knospe, in deren Innerem das Erbmaterial sowie eine kleine Mitgift in Form von Zellorganellen steckt. Die drei Knospen berühren sich bald und verschmelzen zu einer kleinen Kugel, die in dem Hohlraum zwischen den Eltern zu Boden sinkt, wo sie so lange wächst, bis ihr Volumen zu groß wird und die vier Kugeln sich trennen müssen.

Zu diesem Zeitpunkt könnten Tiefseeforscher (würden sie denn dorthin kommen) also drei große und eine kleine Kugel sehen, die alle auf einer ebenen Fläche aufliegen und einander berühren. Die drei alten *H. spectri* haben den Radius *R*, ihr Kind den Radius *r*. Zur Berechnung des Energiestoffwechsels der kleinen Kügelchen benötigen die Biologen deren Radius beim Flüggewerden. Nun ist es aber der Fall, dass die Tierchen in jungen Jahren so empfindlich sind, dass man sie nicht einfach vermessen kann, sondern *r* alleine aus den oben gemachten Angaben berechnen muss. Damit *Hypotheticus spectri* also nicht durch unvorsichtige Finger in Gefahr gerät, wüssten wir gerne von Ihnen, wie groß *r* ist.

22. Geschäfte zwischen Tür und Angel LÖSUNG SEITE 136

Ein geschickter Vertreter kann alles verkaufen. Sei es der kleinste Kürbiskernbonbon der Welt oder die Luft aus einer Flasche (ohne Flasche, versteht sich) – irgendeinen Dummkopf findet er immer. Wie gut, dass intelligente Menschen wie Sie und ich vor derart windigen Geschäftemachern sicher sind.

Ich hatte mir gerade meinen Hut aufgesetzt und die Tür geöffnet, um das Haus zu verlassen, da stand er vor mir. «Gestatten, Zählsmen. Ernie Zählsmen, von der Firma Count & Co.», stellte er sich mit einem professionell gewinnenden Lächeln vor. «Welch ein Glück für Sie, dass ich Sie gerade noch antreffe. Es dauert nur ein paar Minuten und soll Ihr Schaden nicht sein.» Obwohl ich in dem Moment lieber das Glück gehabt hätte, meinen Bus in die Stadt noch rechtzeitig anzutreffen, trat Herr Zählsmen mit einem knappen «Sie erlauben doch» in die Diele. Er ließ kurz einen geübten Blick durch den Raum schweifen, machte zwei Schritte auf die hölzerne Truhe zu, stellte vorsichtig den vor sich hin staubenden Trockenblumenstrauß meiner Frau auf den Boden und legte schwungvoll seinen eleganten Aktenkoffer auf den frei gewordenen Platz.

«Also eigentlich wollte ich ...», setzte ich zaghaft zu einem Satz des Protestes an, doch Herr Zählsmen unterbrach mich mit erhobenem rechten Zeigefinger. «Ha!», sagte er. «Ab heute heißt es für Sie nicht mehr ‹eigentlich wollte ich› – ab heute gibt es für Sie nur noch ‹ich werde›.» Dabei sah er mir tief in die Augen. Mein perplexes Schweigen nutzte Herr Zählsmen, um vom bremsenden Zeigefinger zur Geste der ausgebreiteten Arme überzugehen. «Schauen Sie sich doch einmal selbst um», forderte er mich auf. «Was sehen Sie? Eine Holztruhe, eine Garderobe, einen Spiegel, kurz: ein gemütliches Heim, wie es Tausende, sogar Millionen andere gibt im Land. Ein Heim für Berts, keinesfalls für einen Mann wie Sie.»

Der ‹Mann wie ich› war sich unschlüssig, ob er nun amüsiert oder mäßig verärgert sein sollte, und beschloss, vor einer Entscheidung abzuwarten, worauf dieser Besuch eigentlich hinauslaufen würde. Mein Bus war inzwischen sowieso ohne mich abgefahren, der Termin in der Stadt damit geplatzt, und Herr Zählsmen näherte sich mit ausdrucksstark vorgestreckten Händen sowohl mir als auch dem Kern seiner Visite. «Was Sie brauchen», hauchte er bedeutungsschwer, «ist eine Zahl.» «Eine ... Zahl?», fragte ich nach, da ich mir nicht ganz sicher war, ihn richtig verstanden zu haben. Er nickte. «Natürlich keine gewöhnliche Zahl, wie man sie in jedem Wald finden kann. Und auch keine herkömmliche Wiesenziffer. Nein! Für Sie muss es eine besondere Zahl sein. Eine, die zu Ihnen passt, Ihren Charakter herausstellt, Ihre Stärken hervorhebt.»

Ich hob die Augenbrauen. «Eine besondere Zahl?», wiederholte ich. «Sehen Sie? Mir war von Beginn an klar, dass Sie die Bedeutung einer solchen Anschaffung zu schätzen wissen», freute Herr Zählsmen sich. «Und Sie werden es kaum glauben, aber Count & Co. hat ganz genau das Richtige für Sie. Absolute Qualitätsprodukte, stets frisch aus Indien eingetroffen.» Mit zwei schnappenden Bewegungen flogen die Schlösser seines Aktenkoffers auf. «Handarbeit, jede Zahl ein Unikat», lobte Herr Zählsmen seine Ware. «Da gibt es keine Unstetigkeiten oder kratzenden Nachkommastellen. Alles rein natürliche Zahlen.» Er hob andächtig eine Sieben aus dem Koffer und reichte sie mir. Die Oberfläche fühlte sich glatt und angenehm kühl an. «Gerade Zahlen sind selbstverständlich ein wenig weicher und wärmer», erfuhr ich aus seinem kundigen Mund. «Haben Sie auch mehrstellige Zahlen?», wollte ich wissen. «Aber natürlich, in reicher Auswahl. Count & Co führt alle ganzen Zahlen bis zu +/−999 999.»

Die Sieben auf meinem Arm schnurrte leise. Ich streichelte ihr vorsichtig den Querstrich. Ob meine Frau wohl mit einem neuen Hausbewohner einverstanden wäre, fragte ich mich. Immerhin hatte sie eine leichte Allergie gegen Integralzeichen, und wer weiß, wie ihr Immunsystem auf Zahlen reagieren würde. «Da machen Sie sich mal keine Sorgen», zerstreute Herr Zählsmen meine Befürchtungen. «Unsere Zahlen durchlaufen im Herstellungsprozess mehrere Funktionen und lösen garantiert keine allergischen Anfälle aus.» Ich war beruhigt. Kurz entschlossen fragte ich: «Können Sie denn noch rechtzeitig vor Weihnachten liefern, wenn ich jetzt gleich bei Ihnen bestelle?» «Sicher, das ist kein Problem. Welche Zahl soll es denn sein?» «Oh, es muss schon etwas Besonderes sein», überlegte ich. «Wissen Sie, meine Frau züchtet Kubikwurzeln, und da sollte die Zahl zu ihrer Sammlung passen. Und zu klein darf sie auch nicht sein. Ich nehme eine Zahl, von der man die letzten drei Ziffern wegstreichen kann, sodass der stehen gebliebene Rest gleich der Kubikwurzel der ursprünglichen Zahl ist.» Der Kugelschreiber von Herrn Zählsmen blieb auf dem Bestellformular stehen. «Äh ...», machte er. «Ja!», bestätigte ich. «Diese Zahl möchte ich haben und keine andere. Bitte liefern Sie vormittags, dann ist meine Frau außer Haus. Es soll ja schließlich eine Überraschung werden.» Mit diesen Worten unterzeichnete ich die Bestellung, schob Herrn Zählsmen sanft aus der Wohnung und schloss die Tür hinter ihm. Das wird ein feines Geschenk werden, freute ich mich. Vorausgesetzt, Herr Zählsmen hat rechtzeitig ausgeknobelt, welche Zahl ich haben möchte. Aber vielleicht helfen Sie ihm ja.

23. Kulinarische Rechenspiele LÖSUNG SEITE 138

Luigi Fontanella, seines Zeichens Chef des Instituts für experimentelle Küche an der University of Middlesix, Ohio, und Star der erfolgreichen Fernsehserie «Was Mama niemals kochen würde», ist verzweifelt. Sein nächster Auftritt findet im Rahmen der landesweit ausgestrahlten Eröffnungsveranstaltung zum Jahr des mathematischen Rätsels statt. Und natürlich erwarten seine Auftraggeber ein köstlich-kniffliges Menü von ihm. Mit den üblichen Rhabarber-Schnittchen und Oliven in Sektmarinade ist es diesmal keinesfalls getan.

«Schwierige Kunden sind mir die liebsten Gäste», pflegte Luigi stets zu prahlen, wenn seine Kollegen jammernd und stöhnend von den ausgefallenen Wünschen liquider Scheckbuchgourmets berichteten. Für den alten Kalauer des «Nilpferds in Rotweinsoße» waren selbstverständlich alle ohne Ausnahme bestens präpariert. Auch «Flohschenkel an Kolibrischnabel-Gelee» oder «gratinierte Seidenraupenmilz» brachten einen wahren Maître de la Cuisine nicht in Verlegenheit. Und die Crème de la Crème unter ihnen zauberte durchaus schon einmal ein «Polyvinylchlorid-Soufflé mit flambierten Halogenbällchen» oder das berüchtigte «olfaktorische Potpourri de Jacques l'Inciseur». Was nun jedoch auf dem Wunschmenü des Mathematiker-Vereins «Der quadrierte Kreis» stand, reizte die einen nur zu einem unterdrückten Auflachen, trieb die anderen hingegen in rot glühende Wut. Und so landete das Papier schließlich im Institut für experimentelle Küche und damit auf Luigis Schreibtisch.

«Was kann das schon Schwieriges sein?», ritt Luigi sich tief ins drohende Verderben, als sein geschätzter Neider und Konkurrent von der Abteilung für praktische Verdauung, Professor Giuseppe Astritis, ihm mit einem sarkastischen Lächeln den Auftrag überbrachte.

«Nun, es sind Mathematiker», gab dieser zur Antwort. «Und sie verlangen Exaktheit, kein Herumprobieren.»

«Meine Kochkünste sind immer exakt. Sie treffen exakt den

Geschmack des Gastes. Sein Hunger wird exakt gestillt. Und er wird sich sein ganzes restliches Leben lang an exakt den Moment erinnern, an welchem er den ersten Bissen in den Mund gesteckt hat. Ein von mir zubereitetes Mahl ist geradezu die kulinarische Inkarnation der Exaktheit.» Ein weiterer Schritt Luigis in Richtung Abgrund. Astritis rieb sich verstohlen die Hände. Sobald Luigi wegen seines Versagens unehrenhaft emeritiert wäre, würde er selbst den Lehrstuhl für experimentelle Küche übernehmen.

«Es freut mich, das zu hören», sprach Astritis. «Doch sie fordern eine strenge Geometrie. Rechteckige Pfannen, dreieckige Teller, zylindrische Gläser.»

«Papperlapapp! Das ist doch alles kein Problem. Alles vorhanden, in jeder gewünschten Größe.»

«Aber falls doch etwas schief gehen sollte ... Die Zubereitung wird live im Fernsehen übertragen – landesweit und auf den globalen Sendern für Mathematik sogar weltweit.»

«Ich koche immer live! Immer! Und da klappt alles! Schauen Sie ruhig einmal von Ihrem Wohnzimmersessel aus zu, Herr Kollege. Sie werden staunen, wie viel Sie dabei lernen.» Mit diesen Worten schnappte Luigi sich verärgert die Liste und komplimentierte Astritis eiligst aus seiner Küche. Noch an der Tür stehend, warf er einen begierigen Blick auf das Menü.

Und genau an dieser Stelle steht Luigi noch immer. Keinen Millimeter hat er sich seitdem vom Fleck gerührt, so ist ihm der Schreck in den Kochlöffel gejagt. Es sind nicht die «frittierten Differenziale» als Vorspeise, die ihm den Mut geraubt haben. Auch nicht der erste Gang aus «eindimensionalen, nichteuklidischen Spaghetti». Nein, lediglich die Sättigungsbeilage zum Hauptgericht droht seine universitäre Laufbahn vorzeitig zu beenden. Passend zum Jahr des mathematischen Rätsels wünschen die Mathematiker «rekursiv abgeleitete Semmelknobel» mit genau vorgegebenen geometrischen Abmessungen. Nur haben sie leider eine Angabe vergessen, und nachzufragen ist für einen Spitzenkoch von Luigis Ruf undenkbar. Er wird die Nuss schon selber knacken müssen.

Auf den ersten Blick sieht das Problem auch gar nicht so schwierig aus: Die drei Semmelknobel für jeden Gast sind kreisrund und müssen alle gleichzeitig in einer rechteckigen Pfanne gebraten werden, in welche sie gerade so reinpassen. Der kleinste Knobel hat einen Radius von 4 Zentimetern, der mittlere schon 9 – nur, wie groß der dritte Semmelknobel ist, steht da leider nicht. Luigi könnte den Teig natürlich in der Pfanne passend klopfen, aber das sähe im Fernsehen gar nicht gut aus. Nein, er muss schon vorher den genauen Radius des dritten Knobels wissen. Aber wie? Vielleicht können Sie ihm helfen? Sie würden es nicht nur für Luigi tun, sondern auch für die Mitarbeiter und Studierenden am Institut für experimentelle Küche. Denn unter uns gesagt: Bei Luigis potenziellem Nachfolger Giuseppe Astritis brennt sogar das Teewasser an – noch bevor er den Herd eingeschaltet hat.

Ein Blick in Luigis Pfanne verrät die Sorgen des Meisterkochs: Welchen Radius hat wohl der größte Semmelknobel?

24. Der letzte Alchematiker

LÖSUNG SEITE 140

Aus wertlosen Quadraten edle Kreise zu machen – danach streben seit jeher die Alchematiker an allen euklidischen Königshöfen. Was sie dafür brauchen, ist der sagenumwobene Stein der Leisen. Zum großen Jammer für die traditionsreiche Zunft herrscht aber selbst in der hintersten Ecke des tiefsten Verlieses kein ausreichend stilles Schweigen. Das ewig fortklingende Echo der längst verblichenen Seelen stört die mathemagische Aura des Steins – und kostet die Alchematiker nach und nach ihren Kopf.

Unerfreuliche Neuigkeiten. Nach Bernhard von Binom, Theodorus Triangel und dem sanftmütigen Ferdinand Fermatius weilt nun auch Lothar Limeter nicht mehr unter den aktiven Alchematikern des Abendlandes. Mit einem Federstrich hat König Rabiatus die Planstelle wegen ineffektiver Forschung auf dem Gebiet der Quadratur des Kreises kurzerhand gestrichen und den bisherigen Amtsinhaber seiner Einheit von Leib und Seele entledigt. Berufsrisiko. Welch Wunder, dass bei solchen Aussichten keine Auszubildenden für Alchematik mehr zu finden sind. Wer Karriere machen will, entscheidet sich doch lieber für den aufstrebenden Zweig der Alchemie mit seinen fast todsicheren Erfolgsaussichten.

Nun ist Ulrich Ultimus also der letzte Vertreter seiner Zunft. Und auch sein Job ist keineswegs krisensicher. Erst neulich tobte Herzog Habegier im Zorn des Ungerechten ob der hohen Personalkosten und des zweifelhaften Entdeckerruhmes, der stetig winkt, doch diskret ausbleibt. Ulrich hatte Mühe, ihn mit ein paar Logarithmentafeln zur Basis sieben und einem güldenen Möbiusband zu besänftigen. Das würde die Laune des Despoten nicht lange heben, vor allem nicht über den angekündigten Besuch des französischen Herrscher-Beratungs-Unternehmens Giju Tine hinaus.

Es bedarf folglich eines kniffligen Kleinods, welches den Herzog eine Weile beschäftigt und Ulrichs Lebenszeit um selbige verlängert. In tiefes Grübeln versunken kratzt der Alchematiker mit dem Zirkel an der schorfigen Wunde unter seiner Fußfessel mit der schweren Eisenkette und der noch viel schwereren Eisenkugel. Wenn ihm doch nur ein Rätsel einfiele, mit dem er den Untergang seines Berufes hinauszuzögern vermöchte. In tiefem Gram senkt Ulrich sein Haupt und erblickt auf dem staubigen Kerkerboden einen Tropfen Blut, den ihm der Zirkel aus dem Bein gestochen hat. Ringsum haben sich acht Schuppen seiner Haut gelegt, sodass ein kleines weißes Quadrat mit einer roten Mitte entstanden ist. Erstaunt kratzt der Alchematiker mit dem Fingernagel am Rande seiner Wunde. Herab fallen 16 weitere Schuppen, die sich zu einem zweiten quadratischen Ring um den Blutstropfen lagern. «Heureka!», ruft Ulrich vor Freude aus. «Damit soll der Herzog sich üben.»

Mit der Kette rasselnd ruft er den Kerkermeister herbei. «Eile dich!», trägt er ihm auf. «Bringe mir geschwind einen prächtigen Rubin von dunkelstem Blutrot und einen großen Korb wasserreiner Diamanten. Dem Herrscher zum sinnreichen Vergnügen.» Alsdann setzt er sich an seinen Tisch, greift nach Gänsekiel und Pergament und verfasst die Anleitung für den Herzog. In prachtvoll verschlungener Schrift legt er Habegier nahe, den Rubin in die Mitte seines Thronsaals zu legen. Die Diamanten sollen in quadratischen Reihen den Rubin umgeben. Zuerst sind es an jeder Kante drei Diamanten, im zweiten Ring jeweils fünf und so fort. «Sobald Seine Herrlichkeit mir sagen kann, wie viele Diamanten nötig sind, um den 111ten Ring zu ziehen, werden meine Forschungen mir das Geheimnis der Quadratur des Kreises eröffnet haben.» Zufrieden versiegelt Ulrich den Brief und lässt ihn mit den Edelsteinen zum Herzog schicken, im Glauben, dem Tode für eine lange Weile entgangen zu sein. Wollen wir hoffen, dass der Herzog nicht so schnell wie Sie berechnen kann, welche Anzahl von Diamanten den 111ten Ring bildet.

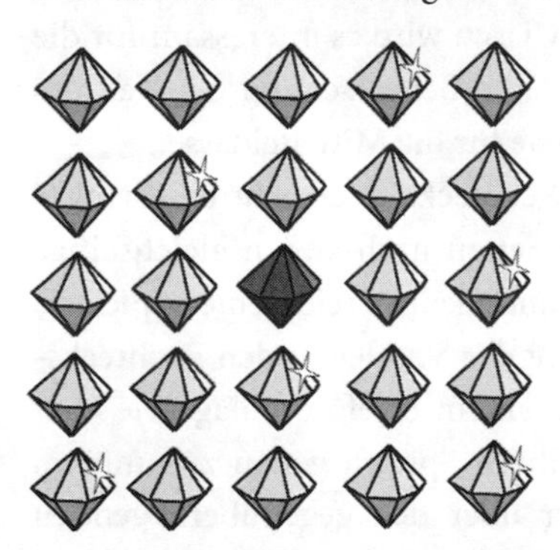

25. Japanisches Fußballorigami

LÖSUNG SEITE 141

«Die Welt hat Platz auf einem Blatt Papier, und es liegt am Meister des Origami, ob er daraus einen Tiger hervorspringen lässt oder eine heilige Ente.» Japan hat einen neuen Sport für sich entdeckt: Fußball. Wie üblich im Land des Lächelns geht man im Training eigene Wege zwischen Tradition und Moderne.

Der japanischen Fußballnationalelf fehlt das Gefühl für Raum und Fläche – sonst wäre man ohne jeden Zweifel schon Weltmeister geworden. Auf diese schlichte Formel führen Sensei Ori und O Sensei Gami die Defizite ihrer Mannschaft zurück. Statt in den wohlverdienten Urlaub geht es daher für die Sommerwochen in ein Trainingslager. Aber eines, nach dem man in Europa und Südamerika lange suchen müsste.

Keine Tore, keine Eckfähnchen, keine Markierungen am Boden. Nur ein paar viereckige Tische am Rande eines peinlich genau gestalteten Gartens. So unscheinbar sieht die neue Geheimwaffe Japans aus – das erste Zentrum für Fußballorigami. Am vordersten Tisch die Stufe der Besinnung: Hier albern die Stürmer herum mit Papierschwalben und Malerhütchen. Kinderkram! Am zweiten die Stufe des Selbst: Drachen, Kraniche und Papiermauern von den Abwehrspielern. Schon beachtlich. Dritte Stufe das innere Auge der Phantasie. Äh, was auch immer den Spielmachern da in den Sinn gekommen sein mag ... Am vierten Tisch wird es interessant für die Spione der anderen Mannschaften: die Beherrschung des Raumes und mehrfache Abdeckung der Fläche für die Mittelfeldasse.

Das Papier hat die Form eines Rechtecks (vielleicht ein Symbol für den Fußballrasen?), an dessen Seiten nach außen gleichseitige Dreiecke (wahrscheinlich der Zuständigkeitsbereich eines Spielers) angesetzt sind. Diese Dreiecke klappt der Schüler an den Rechteckskanten nach innen, ähnlich wie bei einem Briefumschlag. Die kleineren Dreiecke stoßen dabei mit ihren Spitzen genau zusammen. Die größeren Dreiecke ragen aber über den gegenüberliegenden

Rand hinaus. Die betreffenden Stücke werden wieder zurück auf das Rechteck geklappt. Es gibt nun Bereiche des Rechtecks, die aus nur zwei Lagen Papier bestehen (nur ein Spieler wacht, und unter ihm ist der Rasen), solche mit dreien und welche mit sogar vier Lagen Papier (eine vom Rechteck und drei von den Dreiecken, mithin äußerst gut kontrollierte Feldabschnitte).

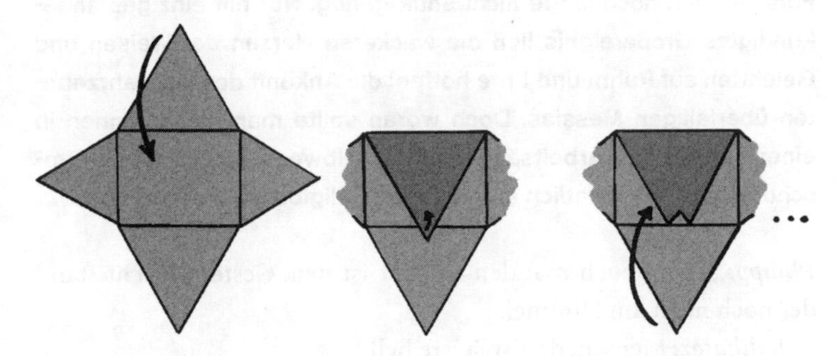

«Dein Rechteck hat eine Fläche von 144 Quadratzentimetern», klärt Sensei Ori den flinksten Mittelfeldfalter auf. «Welche Fläche haben dann die vierlagigen Teile?» Wir sehen daran, dass die Fußballer in Japan nicht nur Akrobaten mit dem Ball sind, sondern dass auch der Kopf mitspielt. Ob deutsche Kicker und Knobler da mithalten können und die Antwort auf die Frage des Origami-Meisters kennen?

26. Weihnachtliches Sternedeuten

LÖSUNG SEITE 145

Das Leben als Wissenschaftler bot nicht viel Abwechslung vor gut 2000 Jahren. Längst waren die Pyramiden fertig gebaut, die offizielle Entdeckung Amerikas stand erst für die ferne Zukunft auf dem Plan, und das gerade aktuelle römische Imperium war für archäologische Forschungen noch lange nicht antik genug. Nur ein einziges angekündigtes Großereignis ließ die wackeren Herzen der Weisen und Gelehrten auf Ruhm und Ehre hoffen: die Ankunft des seit Jahrzehnten überfälligen Messias. Doch woran sollte man ihn erkennen in einer Zeit, da die Arbeitsämter jeder halbwegs großen Stadt Umschulungen zum staatlich anerkannten Religionsstifter anboten?

Philipp: Schaut euch mal den an. Der ist neu. Gestern Nacht stand der noch nicht am Himmel.

Balthasar: Mensch, der ist ja irre hell.

Melchior: Und schön ist der. Das könnte wirklich mal ein Zeichen sein.

Caspar: So wie der Meteorit, der letzten Monat dein Ferienhäuschen vor den Toren Mekkas in Schutt und Asche gelegt hat?

Melchior: Klar! Caspar muss mal wieder den Kasper machen. Du bist ja bloß neidisch, weil deine Datscha ganz gewöhnlichem Brandschatzen einer assyrischen Rockerbande zum Opfer gefallen ist.

Caspar: Immerhin übernimmt solche Schäden die Versicherung. Den Steinbrocken auf deiner Hütte kannst du aber nirgends geltend machen.

Melchior: Warte nur ab. Ich hab da schon so eine Idee. Mit Touristen und Pilgern und so. Da steckt eine Menge Geld drin, wenn man es richtig anpackt.

Balthasar: Hätten die geschätzten Herren Streithähne vielleicht die Güte, sich ein wenig auf jene Sterne zu konzentrieren, die derzeit am Himmel prangen? Speziell dieses neue Exemplar?

Philipp: Er ist fünfzackig. Nach dem gültigen Deutungskatalog vom 37. Astrokongress in Babylon weist er also mit hoher Wahrscheinlichkeit auf die Geburt einer geschichtsträchtigen Persönlichkeit hin.

Balthasar: Und wenn man die Spitzen seiner Zacken verbindet, ergibt das ein regelmäßiges Fünfeck.

Melchior: Was nach dem Deutungskatalog bedeutet …

Caspar: … dass wir es mit einem religiösen Anführer zu tun haben.

Philipp: Und zwar einem echten – keiner ABM-Maßnahme oder Ähnlichem.

Balthasar: Liebe Kollegen, ich denke, wir haben das Zeichen für die Geburt des Messias entdeckt.

Caspar: Jaaa!

Melchior: Und wieder haben die vier Weisen aus dem Morgenland zugeschlagen!

Philipp: Na ja, ganz so weit sind wir noch nicht. Der Messias gilt erst dann als gefunden, wenn man ihm vor Ort gehuldigt und Weihnachtsgeschenke abgeliefert hat. So steht es in der Ausschreibung auf Seite 2815 des Deutungskatalogs.

Caspar: Mist. Wenn wir Pech haben, kommen uns wieder diese Ägypter zuvor. Wenn doch bloß das Fernrohr schon erfunden wäre, dann hätten die mit ihren blöden Pyramiden nicht so einen unfairen Vorteil.

Balthasar: Keine Panik! Den Geburtsort haben wir sicher im Handumdrehen berechnet.

Philipp: Da wirst du deine Hand aber langsam drehen müssen. Wir brauchen nämlich das Verhältnis der Fünfeckfläche zur Sternfläche. Das ist die astrologische Kennzahl der Stadt oder des Dorfes. Unter der schlagen wir dann den Ort im Deutungskatalog nach. So ähnlich wie bei den Postleitzahlen.

Melchior: Und in fünf Minuten sind wir auf dem Weg zur Huldigung.

Caspar: Quatsch, fünf Minuten. Denk an die Ägypter! Wir reiten in drei Minuten los.

Philipp: Ähem. Da gäbe es nur zwei Probleme.

Balthasar: Was soll es da für Probleme geben? Der Stern weist uns den Weg. Ruhm und Ehre warten auf die glorreichen Vier.

Philipp: Äh ... ich kann nicht mitkommen, Jungs.

Melchior: Nicht mitkommen? Was soll das heißen – nicht mitkommen?

Caspar: Das bedeutet, er wird nicht mit uns reiten.

Balthasar: Aber Philipp, du bist unser bester Astronom und Rechner. Wir brauchen dich. Die Menschheit braucht dich.

Philipp: Sorry, es geht nicht. Ich habe meiner Frau versprochen, dieses Jahr Weihnachten zu Hause mit ihr und den Kindern zu feiern. Seht mal: Die ganzen letzten Jahre habe ich hier mit euch in der Sternwarte auf das Zeichen für den Messias gewartet. Ihr wisst ja, wie das war. Wir haben uns alles abgefroren, und dann ist doch nichts gewesen am Himmel. Ich konnte ja nicht wissen, dass es dieses Jahr klappen würde. Und da habe ich es ihr eben versprochen. Ich habe sogar einen echten Tannenbaum besorgt – gar nicht so einfach zu kriegen hier mitten in der Wüstenei. Tut mir echt Leid, aber ihr werdet alleine reiten müssen.

Balthasar: Wir verstehen dich, Philipp. Dann muss es so sein. Aber sei versichert, dass du in unseren Herzen bei uns bist. Und überall auf unserem Weg werden wir den Leuten deinen Namen nennen. Alle Welt soll wissen, dass du den Stern des Messias entdeckt hast – du, der größte der vier Weisen aus dem Morgenland.

Caspar: Genau. Jeder soll reden von Philipp, Caspar, Melchior und Balthasar.

Melchior: Ich darf doch sehr bitten. Die Reihenfolge ist Philipp, Melchior, Balthasar et al.

Balthasar: Du hast von zwei Problemen gesprochen, Philipp. Was ist das zweite?

Philipp: Oh. Äh, ich ... Nun ... Also ... Wie soll ich es sagen? Hmm ... Kurz heraus: Ich habe keine Ahnung, wie man das Flächenverhältnis von Fünfeck und Stern berechnet.

Caspar: Ups!

Melchior: Tja, dann brauchen wir unsere Koffer wohl gar nicht erst zu packen.

Balthasar: Da ist nun guter Rat wirklich teuer. Aber gebt nicht auf, Freunde. Vielleicht gibt es irgendwo einen Gelehrten, der weiß, in welchem Verhältnis die Flächen eines Fünfecks und eines eingeschriebenen Fünfsterns stehen. Er würde mit Freuden als fünfter Weiser aus dem Morgenland in unseren Kreis aufgenommen. Ruhm und Ehre wären ihm gewiss – vorausgesetzt, wir sind vor den Ägyptern bei der Huldigung.

27. Hügel auf dem Golfplatz

LÖSUNG SEITE 148

Das kommt dabei heraus, wenn Gentechniker die Pläne des Lebens falsch interpretieren und sich zusammen mit Mathematikern dranmachen, den perfekten Maulwurf zu schaffen. Auf dem Golfplatz der University of Middlesix in Ohio spielt jedenfalls niemand mehr ohne Handicap.

(Middlesix/Ohio) Wie ein Truppenübungsplatz sieht das Gelände aus, auf dem noch im letzten Semester Studenten und Professoren der University of Middlesix in Ohio friedlich nebeneinander Golf gespielt haben. «Ein bisschen abwechslungsreicher sollte der Platz schon gestaltet werden», sagt der Direktor zähneknirschend, «aber hier braucht man ja eine Bergsteigerausrüstung, um den Parcours zu bewältigen.»

Was ist geschehen? Auf seiner letzten Sitzung vor den Semesterferien hatte der Senat angesichts des bevorstehenden 100-jährigen Jubiläums der Universität umfangreiche Renovierungs- und Ausbesserungsarbeiten beschlossen. Um Kosten zu sparen, sollten die Mitglieder der Fakultäten möglichst viele Aufgaben in Eigenleistung durchführen. Die Bereiche Landschafts- und Gartenpflege wurden der Arbeitsgruppe der angewandten Gentechnik übertragen, für die Sportanlagen war die Fachschaft Mathematik zuständig. Bei der Neugestaltung des Golfplatzes kam es daher zwangsläufig zu Kompetenzrangeleien, die erst durch Intervention des Prorektors beigelegt werden konnten. Dieser regte eine innovative Kooperation an, die dem fortschrittlichen Geist der University of Middlesix in Ohio gerecht werden sollte. Statt mit Bagger und Schaufel selbst Hand anzulegen, sollten die Mathematiker einen Algorithmus entwerfen, welchen die Gentechniker in DNA-Sequenzen übersetzen und gewöhnlichen Labormaulwürfen verabreichen konnten. Ähnlich den mit Kehrschaufel und Besen bewehrten Riesenkakerlaken, die in den Gängen der Universität den Staub fegen, würden die Maulwürfe ganz alleine einen ansprechenden, leicht hügeligen Golfplatz gestalten.

Innerhalb von nur drei Wochen hatte eine interdisziplinäre Forschergruppe einhundert der so genannten Buddelwusler (*Wuselia extraordinaris*) gezüchtet und auf dem Gelände ausgesetzt. Praktisch über Nacht änderte sich das Aussehen des Golfplatzes.

«So etwas haben wir nicht entworfen», weist der Dekan des Fachbereichs Mathematik die Verantwortung an dem Geschehen von sich. «Diese Buddelwusler haben das quadratische Terrain in zehn mal zehn Felder aufgeteilt. Einige davon sind zu Hügeln erhöht, in anderen ist das Niveau zu kleinen Tälern abgesenkt. Man kann die Felder von links oben nach rechts unten mit den Zahlen 1 bis 100 nummerieren. In der oberen Zeile also 1, 2, 3, ... 9, 10, darunter 11, 12, 13, ... 19, 20 und so fort. Dann geben diese Werte die Abweichung – nach oben oder unten – des jeweiligen Bodenniveaus (gemittelt über das jeweilige Feld) vom Universitätsstandard der dritten Treppenstufe zum Foyer in Ohio-Feet an. «Nun haben die Viecher jedoch so lange gebuddelt und gewuselt, bis in jeder Spalte und in jeder Zeile fünf Mulden entstanden sind – also fünf Zahlen mit negativem Vorzeichen –, sowie fünf Hügel, die positiven Zahlen entsprechen. Mathematisch interessant, aber aus Golfer-Sicht eine Katastrophe. Und so was hat keiner meiner Mitarbeiter geplant.»

«Die Schuld liegt alleine bei den Rechenköppen», kontert ein Vertreter der Gentechniker. «Wir haben den Tieren genau das ins Erbgut gelegt, was die Mathematiker uns gesagt haben. Da wird ihnen wohl der Rechenschieber ausgerutscht sein. Der Buddelwusler macht den Platz nur so hügelig, wie es geht – aber nicht hügeliger.»

Wie aus gut unterrichteten Kreisen verlautet, hat die Universitätsleitung bereits eine konventionelle Landschaftsgärtnerei mit den Instandsetzungsarbeiten beauftragt, auf Kosten beider beteiligter Fakultäten. Sie bittet die Leser noch in zwei Angelegenheiten um Mithilfe. Zum einen lautet die Rätselfrage: Wie ist das mittlere Oberflächenniveau des verdorbenen Platzes (gemessen in Ohio-Feet relativ zur Standardtreppenstufe)? Und hat zufällig jemand in seinem Garten Spuren der entflohenen Buddelwusler entdeckt?

28. Falsche Fuffziger

LÖSUNG SEITE 150

Seit gut einem Jahr kaufen und verkaufen die Bürger Mathemaziens mit dem Eulo – jener neuen Währung, die nach dem großen Mathematiker und Physiker Leonhard Euler benannt wurde. Wie es sich für monetäre Umstellungen gehört, haben dunkle Gestalten die Gelegenheit genutzt, ihre eigenen Scheine auf den Markt und unters Volk zu bringen. Die Integralpolizei warnt daher eindringlich vor den falschen Fuffzigern, Dreißigern und Siebendreivierteleren.

Liebe Mitbürger, verehrte Zaungäste, geschätzte Seitenkieker!

Die Einführung des Eulos vor zwölf Monaten hat der konvergenzlos vor sich hin dümpelnden Wirtschaft Mathemaziens neue variablenreiche Terme hinzugefügt und sie für den Bürger differenzierbarer gemacht. Sowohl Einzel- als auch Zweifelhändler profitieren von der Potenzierbarkeit der neuen Währung, Börsenspekulanten loben vor allem ihre Ableitfestigkeit, Arbeitgeber und Gewerkschaften konnten endlich den kleinsten gemeinsamen Nenner in die eigenen Taschen stecken.

Doch wo viel Licht ist, kommt es auch zu Interferenzen. Immer häufiger muss das Summen-Ministerium falsche Eulo-Scheine wegkürzen, deren Seitenlängen nicht im richtigen Verhältnis zueinander stehen. Damit Sie als Verbraucher diese imaginären von den realen Eulos unterscheiden können, haben wir von der Integralpolizei einen einfachen Test entwickelt.

Legen Sie dafür bitte Ihren rechteckigen Eulo-Schein vor sich auf den Tisch. Falten Sie ihn so, dass die obere rechte Ecke genau auf die untere linke Ecke zu liegen kommt. Es ergibt sich eine Figur mit einem doppellagigen Dreieck, das *C* genannt werden soll, sowie zwei einlagigen Dreiecken, die mit *A* und *B* zu bezeichnen sind. Bei echten Eulo-Scheinen ist die Fläche von *C* exakt so groß wie die Summe der Flächen *A* und *B*. Außerdem steht bei den falschen Scheinen ein «i» hinter dem aufgedruckten Zahlenwert.

Sollten Sie auch nach gewissenhafter Befolgung dieser Anweisungen nicht das Verhältnis der Seiten eines realen Eulo-Scheines ermittelt haben, wenden Sie sich bitte an das Summen-Ministerium oder eine Integralpolizeistation in Ihrer Nähe. Wir danken für Ihre Mithilfe!

Bernd Ronstein (Ringintegralinspektor)

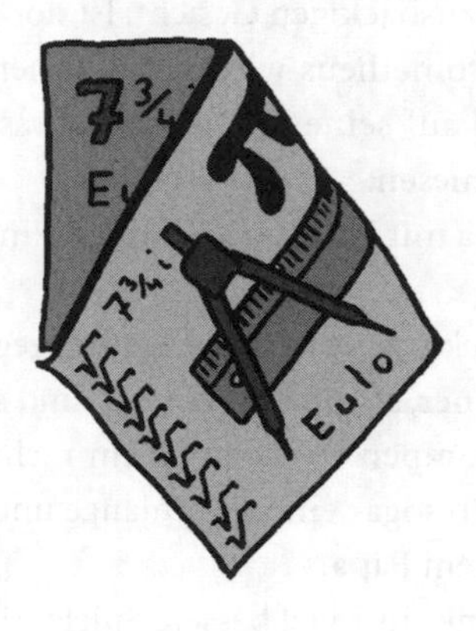

29. Das Spiel der Götter

LÖSUNG SEITE 152

Störe meine Murmeln nicht! Wenn die Götter wetten, steht das Wohl der Menschheit auf dem Spiel. Dabei ginge es uns vielleicht am besten, wenn sie sich nicht darum kümmerten, was wir auf Erden tun.

«Ich mache mich schon nicht schmutzig, Mama!» Göttlicher Schmollmund im pausbackigen Gesicht. Ist doch wahr. Da amüsiert sich dieser blöde Prometheus wieder mit seinen Lehmfiguren, und der kleine Zeus soll auf seine Klamotten aufpassen. Na warte – das kann man ihm vermiesen.

«Igitt, du spielst ja mit Dreck», schimpft Klein-Zeus mit gerümpfter Nase.

«Ist gar kein Dreck», zetert Prometheus dagegen. «Sind total tolle Figuren: weise Männer, schöne Jungfrauen und starke Helden.»

«Pah, Helden. Klumpen aus Lehm, mehr nicht.»

«Sieh mal: Ich hab sogar eine Seeschlange und einen Minotaurus. Ganz neu von meinem Papa.»

«Mein Papa schenkt mir viel bessere Spiele. Hier: 100 bunte Murmeln.»

«Zeig her.»

«Nix da. Du verbummelst bestimmt welche.»

«Mach ich nicht.»

«Machst du doch. Den Deckel von der Pandora ihrer Büchse hast du auch verloren. Beinahe hätten wir den nicht wiedergefunden.»

«Das war ich gar nicht. Das war die Hera.»

«Jedenfalls kriegst du meine Murmeln nicht.»

«Dann lass mich wenigstens mitspielen.»

«Und was hab ich davon?»

«Du darfst auch mit meinen Figuren spielen. Du kannst sogar die Seeschlange nehmen.»

«Deine Dreckfiguren – mit denen will ich gar nicht spielen. Weißt du was? Wir spielen mit meinen Murmeln. Wenn du gewinnst, darfst du sie behalten.»

«Au ja, gib her.»

«Aber wenn ich gewinne, darf ich deine Figuren alle kaputtmachen.»

«Was? Du willst sie kaputtmachen? Meine schönen Helden und Jungfrauen?»

«Und alle anderen auch. Aber wenn du zu feige bist, können wir es auch sein lassen.»

«Ich bin nicht feige. Los, wie sind die Regeln?»

Zeus teilt seine Murmeln auf: 52 für sich und 48 für Prometheus (göttliche Gerechtigkeit hat ihre eigenen Maßstäbe). Abwechselnd werfen die beiden eine Murmel auf eine Mauer zu. Wessen Kugel dichter liegt, der gewinnt die Runde. Sind beide gleich weit entfernt, gewinnt derjenige, der zuerst geworfen hat. Der Verlierer muss die Hälfte seiner Murmeln dem Gewinner geben. Hatte er eine ungerade Anzahl, ist das Spiel beendet, denn Zeus will seine Glaskugeln nicht durchschneiden oder sonst wie zerstören.

Spiel und Schicksal nehmen ihren Lauf. In ihr Tun vertieft spielen die beiden Runde um Runde. Mitunter entlädt sich die Spannung in winzigen Blitzen in Zeus' Haar. Aufgeregt zündelt Prometheus mit dem Feuerzeug seines Vaters. Derweil entwickeln die Lehmfiguren unbeachtet ein Eigenleben: entführen einander die Jungfrauen, segeln auf dem Meer des kleinen Weihers, errichten Labyrinthe und Schlösser, führen Kriege, besiegeln und brechen Pakte, erfinden die Thermosflasche und vergessen ihre Götter, vernetzen ihre Computer und lösen mathematische Rätsel. Und wissen nicht, dass über ihnen das Verhängnis schwebt, wenn Zeus beim Murmelspiel gewinnen sollte. Oder was im Falle eines Sieges von Prometheus geschieht, sobald er von ihrer Eigenmächtigkeit erfährt. Am besten, das Murmelwerfen würde ewig andauern. Aber geht das? Gibt es eine Folge von Runden, bei denen weder Zeus noch Prometheus endgültig gewinnen kann?

30. Magie für die Eiskönigin

LÖSUNG SEITE 153

«Etwas Mystisches, Okkultes! Alle Welt zaubert, nur ich soll zurückstehen? Ich, die Eiskönigin? Die Herrscherin über Frost und Schnee? – Ich erhebe Anspruch auf ein ganz besonderes Geschenk. Ich will etwas MAGISCHES!»

Schrill hallten die Worte von den spiegelnden Wänden wider, ließen Eisstalaktiten erzittern und Schneekristalle aufwirbeln, brachen sich an Kanten zu Tausenden Echos, die knisternd aufeinander prallten, sodass die Luft dort zu dünnen Eisscheibchen gefror, die auf den Boden fielen und in winzige Eisrosen zerbarsten.

«Wie Ihr wünscht, Eure Bitterkeit. Wie Ihr wünscht.» Diese Wutausbrüche war Lupf 23 gewöhnt. Wohl wahr, die Dame hatte ein feuriges Temperament und ein hitziges Gemüt – ein krasser Gegensatz zu den antarktischen Temperaturen ihres Eispalastes. Doch die Kälte machte Lupf 23 nichts aus. Als hoch dekorierter Zwerg einer Spezialeinheit des Weihnachtsmannes verbrachte er den größten Teil des Jahres in einem Trainingscamp am Nordpol. Dort übte er, Überraschungseier mit verbundenen Augen spurenlos zu zerlegen und zusammenzusetzen, aggressive Heldenfiguren aus Weichplastik in Pappkartons zu verpacken und sich blitzschnell als voll geschneiter Gartenzwerg (Lupf 23 bevorzugte die Variante mit dem Messer im Rücken) oder, wenn die Situation es erforderte, als ausrangiertes japanisches Kampfplüschtier zu tarnen.

Eine millimeterdicke Eisschicht hatte sich während der Audienz über ihn gelegt. Knackend brach diese auf, als er sich nun erhob. «Wie ihr wünscht», wiederholte Lupf 23. Mit gesenktem Kopf ging er zehn Schritte rückwärts, drehte sich um und prallte mit voller Wucht gegen eine Eiswand. «DARAN werde ich mich nie gewöhnen», dachte er. Die Wände des Eispalastes waren so glatt, dass sich alles in ihnen spiegelte. Und sie waren veränderlich: Wo eben noch ein Durchgang war, stand plötzlich massives Eis. Wollte man sich einmal anlehnen, konnte das unvermittelt mit einem Sturz ins Leere enden. Lupf 23 rieb sich die Nase. Die Tür, durch welche er in den Thronsaal gekommen war, gab es an dieser Stelle offensichtlich nicht mehr, dafür spiegelte sich dort der gerade aktuelle Ausgang täuschend echt wider. Vorsichtig tastend suchte Lupf 23 sich den Weg in seine Kammer.

Soso, etwas Magisches wünscht sich die Königin zu Weihnachten. Na, dann bekommt sie doch einfach ein magisches Quadrat. Nur – so ganz banal durfte das nicht sein, dann wäre sie gelangweilt und würde den Winter dieses Jahr gar nicht mehr enden lassen. Monatelang würde es früh am Abend dunkel werden, und die Kinder müssten andauernd in der Wohnung spielen. Womit? Mit den Weihnachtsgeschenken. Aber Kindern wird ja immer alles so schnell langweilig. Also würden sie nach kurzer Zeit jaulen und quengeln, die Eltern wären genervt und würden sich beim Weihnachtsmann beschweren. Und wen würde dieser für den Schlamassel verantwortlich machen? Eben! Dieses spezielle magische Quadrat musste in der Lage sein, die Eiskönigin lange zu beschäftigen. Aber wie?

Mal schauen, was mein Geschenk-Computer dazu meint, dachte Lupf 23 und kramte einen sperrigen, alten Kasten aus seiner Fallschirmspringer-Kiste. Er hasste diese modernen Computer. Entweder waren sie so klein, dass nicht einmal ein Zwerg die Tasten richtig treffen konnte, oder sie hatten zur Eingabe eine Maus. Bei Computern für Menschen mochte das ja ganz pfiffig sein, in der Werkstatt des Weihnachtsmannes war jedoch alles ein bisschen mehr öko – und die Maus eben eine echte Maus. Und wie jederzwerg weiß, sind Mäuse gefährliche, aggressive Biester, die mit einem einzigen Biss einen ganzen Zwergenfinger abtrennen können.

Der Computer von Lupf 23 war darum noch aus der guten alten Zeit, als Buchstaben und Ziffern mit grünen oder roten Leuchtdioden dargestellt wurden. Sieben-Segment-Anzeige hieß das, und man musste ein wenig Phantasie haben, um die Worte und Zahlen zu entschlüsseln. Inzwischen wartete der Computer auf die Nutzerkennung. «LUPF23» tippte Lupf 23 ein. Richtige Namen wie bei den Menschen gab es bei Zwergen nicht. Der Weihnachtsmann hatte aus den Bezeichnungen ihrer Völker und Großfamilien Kurznamen gebildet und sie dann einfach durchnummeriert. *Leicht untersetzter Park-Findling* bedeutete Lupf – eine ruhmvolle Untergruppe der Wald-und-Wiesen-Findlinge.

«Bei Rudis Nase», schoss es Lupf 23 durch den Kopf. «Ich hab's!» Auf dem Bildschirm seines Computers stand in Sieben-Segment-Buchstaben LUPF23. An der rechts daneben stehenden Eichenblattkaffeemaschine spiegelte sich die Kennung. Die Buchstaben L, P und F sahen nach komischen Zeichen einer fremden Schrift aus, aber das U war weiterhin zu lesen, aus der 3 war ein E geworden, und die 2 hatte sich zur 5 gewandelt. Lupf 23 blickte auf die Tischplatte. Hier leuchteten ihm eine perfekte 3 und statt der 2 wiederum eine 5 entgegen, der Rest sah ziemlich kryptisch aus.

«Ich werde der Eiskönigin ein magisches Quadrat schenken, das in Wahrheit aus vier Quadraten besteht», dachte Lupf 23. Zuerst einmal ein gewöhnliches Quadrat mit vier mal vier Feldern. In jedes kommt eine andere Zahl – nicht unbedingt zwischen 1 und 16, wie üblich, denn zweistellig soll sie schon sein. Die Summe der Spalten, der Zeilen und der Diagonalen muss gleich sein. Und nun kommt's: Wenn das Quadrat sich in einer Wand des Eispalastes seitlich spiegelt, muss das Spiegelquadrat auch magisch sein. Dafür sind die Ziffern natürlich in der altbewährten Sieben-Segment-Schreibweise darzustellen. Auch die Spiegelung «über Kopf» auf der Tischplatte muss ein neues magisches Quadrat ergeben. Und zur Krönung liefert die seitliche Spiegelung des Kopf stehenden Quadrates das vierte magische Eck. Quadrierte Magie! DAS wird der Eiskönigin gefallen. «Vorausgesetzt, ich finde so ein magisches Quadrat», durchfuhr es Lupf 23. Wie könnte das wohl aussehen?

31. Regenspiele für daheim

LÖSUNG SEITE 155

Der Sommer ist vorbei. Die Sonne macht Urlaub und lässt sich am Himmel durch regenschwere Wolken vertreten. Kein Planschen im Freibad mehr, kein Picknick im Grünen, Schluss mit spannenden Nachtwanderungen, nach denen die lieben Kleinen selig – und vor allem ruhig – schlummern. Nun müssen andere Beschäftigungen her. Wie wäre es da mit Naschkatzen-Schach?

Sie brauchen:

- ein Schachbrett
- eine kleine Süßigkeit pro Runde
- Papier oder Pappe in Größe des Schachbretts oder größer
- ein Geodreieck
- einen Bleistift
- eine Schere
- mindestens ein Kind oder genug eigenen Spieltrieb

Vorbereitungen:

Mit Bleistift und Geodreieck zeichnen Sie oder die Kinder 21 L-förmige Triominos auf (also Stücke, die drei Schachfelder über Eck genau bedecken) und schneiden sie aus.

Das Spiel:

Ein Spieler setzt die Süßigkeit auf ein beliebiges Feld des Schachbretts. Der andere muss nun die frei gebliebenen Felder restlos mit den Triominos belegen. Es darf kein Feld übrig bleiben und keines doppelt belegt werden. Hat er es geschafft, darf er die Süßigkeit verputzen und nun seinerseits eine auf dem Brett positionieren.

Für ungeduldige Geister:
Im Wesentlichen sind drei verschiedene Anordnungen zu lösen:

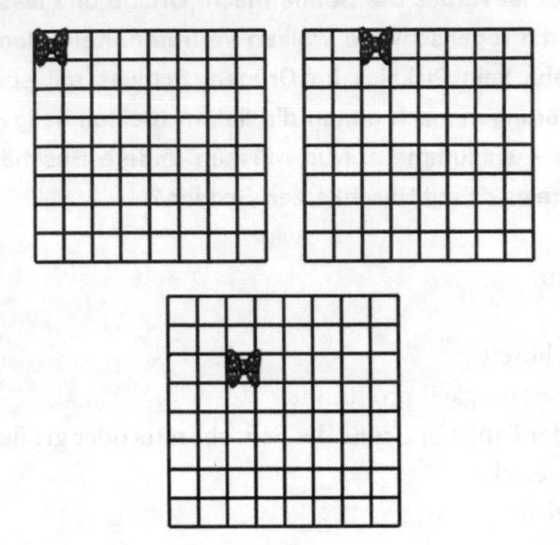

32. Zeit für die Wahrheit

LÖSUNG SEITE 158

Vergessen Sie Area 51, die Illuminaten und alle mehr oder minder obskuren Geheimbünde. Das sind nur Ablenkungen – bewusst aus dem Hintergrund gesteuerte Verwirrungen, damit Sie nicht über die Anzeichen der wirklichen Ungereimtheiten stolpern. Die Wahrheit ist viel erschreckender, als Sie jemals zu fürchten gewagt hätten. Und doch liegt sie fast offen auf der Hand – für jene, die noch klar sehen können.

Es besteht kein Zweifel: Die Menschheit steuert geradewegs auf ein dunkles Ziel zu, das die wenigsten von uns kennen. Sie glauben es nicht? Sagt Ihnen der Begriff «Klimakatastrophe» gar nichts? Haben Sie sich nie gewundert, warum Überschwemmungen und Dürre auch in Mitteleuropa jedes Jahr zunehmen? Ist Ihnen nicht aufgefallen, dass Regentropfen schneller fallen als noch vor zehn Jahren? Meinen Sie, die hämmernden Bässe der Technomusik seien wirklich ein Modetrend? Sollte der Mensch, nach eigenem Verständnis die Krönung der Schöpfung, all dies nur passiv hinnehmen, ohne dass es einen tiefer liegenden Grund dafür gäbe. Ist der *Homo sapiens*, der «verständige» Mensch, in seinen Fähigkeiten etwa hinter dem *Homo habilis*, dem «fähigen» Menschen, der vor rund zwei Millionen Jahren die Welt zu erobern ansetzte, zurückgeblieben? Natürlich nicht! Alles was geschieht, geschieht aus einem bestimmten Grund. Daran kann niemand mit wachem Verstand zweifeln.

Und es gibt Beweise. Überall um uns herum. Wir müssen nur die Augen aufmachen, um das Offensichtliche zu sehen. Fangen wir mit einem ganz einfachen Beispiel an: unseren Zähnen. Wenn Sie erwachsen sind und ein voll ausgebildetes Gebiss haben, verfügen Sie über 32 Zähne. 32! Das erscheint Ihnen vielleicht nicht verdächtig, aber behalten Sie diese Zahl gut im Kopf. Wie wir noch sehen werden, ist sie der Schlüssel zu einer ganzen Reihe seltsamer «Zufälle». So ist die 32 «zufällig» genau jene Zahl, deren Quersumme als Potenz von 2 die Ausgangszahl ergibt. Und gewiss wird es wohl ein

«Zufall» sein, dass kein einziger Monat im Jahr 32 Tage hat. Selbst die römischen Herrscher Julius Cäsar und Gaius Octavius (besser bekannt als Augustus), die keine Probleme damit hatten, zu ihrem persönlichen Ruhm Tage beim Februar zu stehlen und an ihren eigenen Monat anzuhängen, sind aus rätselhafter Ursache vor diesem Frevel zurückgeschreckt. Sie werden gewusst haben, warum. Nur allzu leicht hätte es ihnen ergehen können wie Marcus Salvius Otho, der im Jahre 69 für nur drei Monate römischer Kaiser sein durfte. Otho war am 28. April 32 geboren.

Selbst heute noch geht Gefahr von der 32 aus. Eine Bedrohung, der wir trotz aller Technik nichts entgegenzusetzen haben. Wie sonst ist das Schicksal der russischen Arktisstation «Nordpol-32» zu erklären, die am 4. März 2004, weniger als ein Jahr nach ihrer Errichtung, mit einer Eisscholle auf das Polarmeer hinaustrieb und in Seenot geriet? Und sollten Sie gerade einen Weltatlas zur Hand haben, dann schlagen Sie ihn auf, und folgen Sie dem Verlauf des 32. Grads nördlicher Breite. Sie werden feststellen, dass er quer durch einige der unbeständigsten Krisenregionen der modernen Welt verläuft. Wieder ein Zufall?

Der Nordpol und Palästina mögen in weiter Ferne liegen, aber die Macht der 32 wirkt auch in Deutschland. Ja, womöglich ist hier das Zentrum des unheilvollen Einflusses zu suchen. Die Anzeichen sind überdeutlich für den, der sie zu lesen weiß. So postulierte der russische Chemiker Dmitrij Iwanowitsch Mendelejew bereits 1871 die Existenz und die Eigenschaften eines bis dato unbekannten chemischen Elements, das er «Ekasilizium» nannte. Doch nachdem Clemens Winkler es 1885 im Silbererz Argyrodit entdeckt hatte, erhielt es den Namen Germanium, Deutschland, und die Ordnungszahl 32. Die Wurzeln der mystischen Zahl reichen allerdings noch tiefer, genau genommen ist die deutsche Kultur ohne 32 nicht denkbar. Selbst in so harmlos erscheinende Freizeitaktivitäten wie das Kartenspiel ist sie gedrungen, wird doch schon der urdeutsche Skat mit 32 Blatt gedroschen.

Es stellt sich die Frage, was hinter dem Ganzen steckt. Welches

Ziel verfolgen die Mächte der 32? Noch ist der Schleier nicht vollständig gelüftet, wenngleich es Hinweise gibt. In der Apostelgeschichte des Lukas heißt es etwa in Kapitel 4, Vers 32: «Die Menge der Gläubigen aber war ein Herz und eine Seele; auch nicht einer sagte von seinen Gütern, dass sie sein wären, sondern es war ihnen alles gemeinsam.» Abschaffung des Privateigentums – so sehen die Absichten aus. Glauben Sie nicht, dass der Staat Sie davor schützen wird. Nicht umsonst behandelt Paragraph 32 des Strafgesetzbuches die Notwehr, nach der ausdrücklich nicht rechtswidrig handelt, wer einen Angriff von sich oder einem anderen abwehrt. Ein offenkundiges Schlupfloch für die Verschwörung.

Wo soll das enden? Ein Blick in den Weltraum enthüllt uns die schreckliche Zukunft. Die kleine Galaxie M32 hat nur drei Milliarden Sonnenmassen und nicht mehr als 8000 Lichtjahre Durchmesser, und doch drängen sich in ihrem Kern 5000 Sterne pro Kubikparsec, die gezwungen sind, auf schnellen Bahnen ein geheimnisvolles massereiches Objekt in ihrer Mitte zu umkreisen. Sie dürfen raten, welche Zahl auf der Oberfläche dieses Objektes geschrieben steht.

Sind dies alles nur Zufälle? Sollte Ihnen die drückende Überzeugungskraft der vorgelegten Fakten nicht genügen? Glauben Sie weiterhin an den freien Willen? Dann versuchen Sie sich doch an diesem letzten Beweis: Wählen Sie aus den Zahlen unter 1000 all jene aus, die durch 9 teilbar sind und aus lauter unterschiedlichen Ziffern bestehen, wobei die 0 nicht vorkommen darf. Die Anzahl der Zahlen dritteln Sie. Und welches Ergebnis gibt das?

Lösungen

1. Kein' im Sinn

AUFGABE SEITE 8

Um auf die Zahl der möglichen Additionen zu kommen, die das Rechenwunder Calcilitor beherrscht, betrachten wir zunächst die möglichen Zahlenpaare mit *unterschiedlichen Tausenderziffern.* Dabei müssen wir berücksichtigen, dass es zu keinem Übertrag kommen darf und die erste Zahl immer kleiner als die zweite ist.

erste Zahl Tausenderziffer	zweite Zahl Tausenderziffer	Anzahl Möglichkeiten
1	2 bis 8	7
2	3 bis 7	5
3	4 bis 6	3
4	5	1

Es gibt also 16 Möglichkeiten, verschiedene Tausenderziffern auf die Zahlen zu verteilen. Die weiteren Ziffern dürfen in diesen Fällen beliebig ausgewählt werden. Einzige Voraussetzung: Es darf zu keinen Überträgen kommen. Für die weiteren Stellen gilt also:

Ziffer erste Zahl	Ziffer zweite Zahl	Anzahl Möglichkeiten
0	0 bis 9	10
1	0 bis 8	9
2	0 bis 7	8
3	0 bis 6	7
4	0 bis 5	6
5	0 bis 4	5
6	0 bis 3	4
7	0 bis 2	3
8	0 und 1	2
9	0	1

Es gibt demnach 55 Möglichkeiten pro Ziffer an zweiter, dritter oder vierter Stelle. Insgesamt also 55^3 Möglichkeiten, beziehungsweise $16 \cdot 55^3$ Möglichkeiten für Zahlen mit unterschiedlicher Tausenderstelle.

Untersuchen wir nun die Möglichkeiten mit *gleicher Tausenderziffer*. Hier kommen an der ersten Stelle nur die Ziffern 1 bis 4 in Frage, da es sonst zu einem Übertrag kommt. Doch welche Möglichkeiten ergeben sich für den Rest der Zahlen? Hier müssen wir wie eben für die Tausenderziffern auch für die Hunderterstellen die beiden Fälle gleicher und unterschiedlicher Ziffern unterscheiden. Schauen wir uns zunächst den Fall *verschiedener Ziffern* an:

erste Zahl Hunderterziffer	zweite Zahl Hunderterziffer	Anzahl Möglichkeiten
0	1 bis 9	9
1	2 bis 8	7
2	3 bis 7	5
3	4 bis 6	3
4	5	1

Macht genau 25 Möglichkeiten. Auf die Stellen 3 und 4 der Zahlen entfallen hierbei analog zur obigen Rechnung bei den Tausenderziffern je 55 Kombinationen – also 55^2.

Verbleiben die Möglichkciten mit *gleicher Hunderterstelle.* Hier kommen nur die Ziffern zwischen 0 und 4 in Frage, also 5 Möglichkeiten. Für den Rest der Zahlen beginnt nun wieder das gleiche Spielchen wie gerade: Wir unterscheiden zwischen gleichen und unterschiedlichen Werten an der dritten Stelle.

Für *verschiedene Werte* gilt die gleiche Überlegung wie eben bei den Hunderterziffern:

erste Zahl 3. Stelle	zweite Zahl 3. Stelle	Anzahl Möglichkeiten
0	1 bis 9	9
1	2 bis 8	7
2	3 bis 7	5
3	4 bis 6	3
4	5	1

Es gibt also 25 Möglichkeiten für die unterschiedlichen dritten Stellen der beiden Ziffern. Auf die vierte Stelle entfallen 55 mögliche Kombinationen. Sind auch die dritten Stellen der beiden Zahlen gleich, dann muss sich zumindest die jeweils letzte Stelle der beiden Zahlen unterscheiden. Auch hier existieren wieder 25 Alternativen.

Wir haben somit rekursiv alle Möglichkeiten für die beiden Zahlen durchgespielt. Wenn wir nun alle Fälle summieren, ergibt sich:

$$16 \cdot 55^3 + 4\left(25 \cdot 55^2 + 5(25 \cdot 55 + 5 \cdot 25)\right) = 2\,994\,500$$

Eine durchaus große Zahl von Rechenmöglichkeiten, aber wer wollte sich angesichts der ungewöhnlichen Einschränkungen mit dem Calcilitor abgeben, wo doch jeder 5-Euro-Rechner mehr leistet? Da muss die Knobelitis AG offensichtlich nachlegen, oder handelt es sich einmal mehr um eine Börsenluftnummer?

2. Eine echte Milchmädchenrechnung AUFGABE SEITE 10

Dann wollen wir mal sehen, ob Pythagoras' Vertrauen in die mathematische Intuition des Milchmädchens berechtigt war. Berechnen wir dazu die beiden Quadratflächen. Sei r der Durchmesser des (Halb-)Kreises, a die Kantenlänge des großen Quadrats und b die des kleinen. Dann gilt für die Fläche F_1 des großen Quadrats:

$$F_1 = a^2$$

Hier lässt sich a über den Satz des Pythagoras durch r ausdrücken. Warum der Meister nicht selbst auf die Idee kam? Nun, vielleicht hat er sich auch von den Kurven des Mädchens blenden lassen. Jedenfalls gilt:

$$2a^2 = (2r)^2$$
$$a^2 = 2r^2$$

Also ist die Fläche des großen Quadrats:

$$F_1 = 2r^2$$

Die Kantenlänge des kleinen Quadrats b lässt sich ebenfalls über Pythagoras durch r ausdrücken:

$$b^2 + \left(\frac{b}{2}\right)^2 = r^2$$

$$b^2 = \frac{4}{5} r^2$$

Damit ist die Fläche F_2 des kleinen Quadrats:

$$F_2 = b^2 = \frac{4}{5} r^2$$

Das Verhältnis der Quadrate ist dann:

$$\frac{F_1}{F_2} = \frac{2r^2 \cdot 5}{4r^2} = \frac{5}{2} = 2{,}5$$

Offensichtlich hätte Pythagoras doch eher seinen eigenen geistigen Leistungen vertrauen sollen, als auf obskure Eingebungen zu setzen. Leider hat es sich im Dunkel der Geschichte verloren, wie die Pythagoreer schließlich doch die richtige Lösung für ihr Problem fanden und was aus dem Milchmädchen geworden ist.

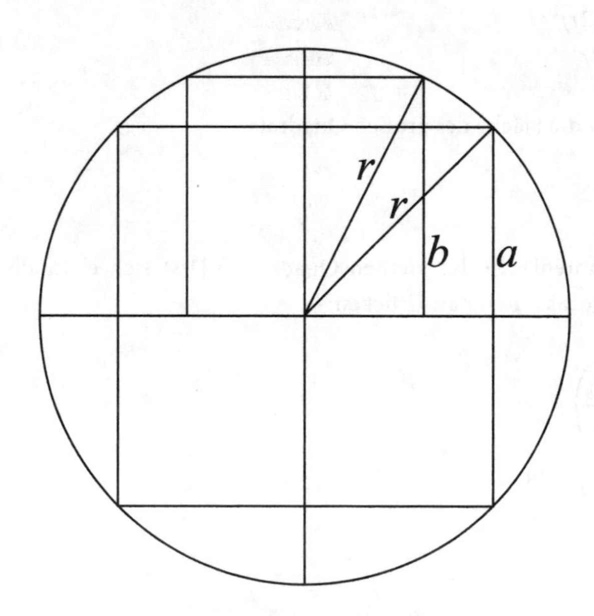

3. Behördenkryptografie

Reichlich umständlich, wie Herr Anzgenau seine Korrespondenz zu verschlüsseln gedenkt. Prüfen wir, ob wir mit ein wenig Hirnschmalz nicht schneller auf den Arbeitsschlüssel kommen. Dazu sehen wir uns zunächst an, wie viele Zahlen es mit einer bestimmten Anzahl von Stellen gibt, wie viele Ziffern diese in der Summe liefern und wie lang ein daraus gebildeter Masterschlüssel wird:

			Anzahl Zahlen	à	Ziffern	Anzahl der Ziffern	Länge des Masterschlüssels
1	-	9	9		1	9	9
10	-	99	90		2	180	189
100	-	999	900		3	2700	2889
1000	-	9999	9000		4	36000	38889
10000	-	99999	90000		5	450000	488889
100000	-	999999	900000		6	5400000	5888889
1000000			1		7	7	5888896

Das heißt, die Stellen 206777 und 206778 liegen irgendwo im Bereich der fünfstelligen Zahlen. Doch wo genau? Um das herauszufinden, ziehen wir von den 206777 Stellen zunächst die Stellen ab, welche die ersten 9999 Zahlen liefern, also 38889:

$$206777 - 38889 = 167888$$

Nun teilen wir die verbleibende Stellenzahl durch 5, um herauszufinden, in welcher fünfstelligen Zahl sich die gesuchte Stelle versteckt:

$$167888 : 5 = 33577 + \frac{3}{5}$$

Die Ziffer Nummer 206777 des Masterschlüssels befindet sich also an der dritten Stelle der 33578. fünfstelligen Zahl. Um herauszufinden, welche Zahl das nun wieder ist, brauchen wir nur die ersten 9999 Zahlen hinzuzuaddieren:

33578 + 9999 = 43577

An der dritten Stelle steht hier die Ziffer 5 und an der vierten die Ziffer 7. Damit haben wir die beiden gesuchten Ziffern, denn schließlich handelt es sich um benachbarte Stellen im Masterschlüssel. Das Produkt, und damit der fertige Arbeitsschlüssel, ist demnach 35.

Vielleicht hätte sich Herr Anzgenau doch eine trickreichere Verschlüsselung ausdenken sollen, denn mit ein wenig Nachdenken löst sich die vermeintliche Fleißarbeit schnell in Wohlgefallen auf.

4. Der weltkleinste Großrechner

AUFGABE SEITE 15

Mehrere Teilaufgaben sind in diesem Fall zu lösen. Zunächst sollen 99 kleine Würfel genau so zu größeren gruppiert werden, dass kein kleiner Würfel mehr übrig bleibt und die Zahl der großen Exemplare minimal wird. Dazu überlegen wir uns zunächst, welche Würfel sich überhaupt aus 99 kleinen zusammensetzen lassen. Schnell stellen wir fest, dass es nur drei Möglichkeiten gibt:

Kantenlänge	Volumen
2	8
3	27
4	64

Wie sieht es nun mit den unterschiedlichen Kombinationen der Kuben aus? Nehmen wir zuerst einen großen 64er, dann können noch 35 Einzelwürfel verbaut werden. Für einen weiteren 64er reicht das nicht, wohl aber für einen 27er, wobei ein Rest von 8 kleinen Würfeln bleibt. Diese reichen genau für einen 8er-Würfel. Zwar gibt es noch eine andere Möglichkeit, die 99 kleinen Würfel ohne Rest auf die drei großen aufzuteilen – mit einem 27er und neun 8ern –, hierbei ist jedoch die Anzahl der großen Exemplare deutlich größer.

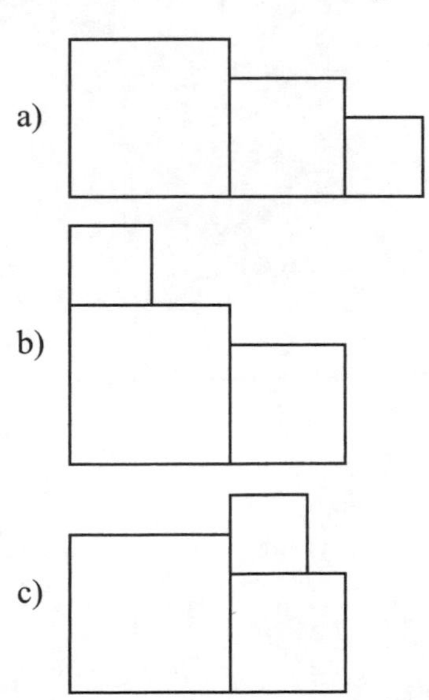

Fahren wir mit der zweiten Teilaufgabe fort: Nun sollen die drei Würfel derart nebeneinander oder aufeinander gelegt werden, dass ein rechteckiger Raum, der sie umgibt, minimales Volumen einnimmt. Auch hier gibt es im Grunde nur drei wesentliche Arrangements der Würfel:

Das Volumen eines umgebenden rechteckigen Gehäuses wäre jeweils:

a) $9 \cdot 4 \cdot 4 = 144$

b) $7 \cdot 6 \cdot 4 = 168$

c) $7 \cdot 5 \cdot 4 = 140$

Die Möglichkeit c) ist also am platzsparendsten und ergibt einen Rechner mit größter Rechenleistung. Vorschlag an den Hersteller: Um künftigen Käufern die Montage zu erleichtern, legen Sie dem Kubi 2000 doch eine Antiprotonendeflektormatte bei, auf der die obige Skizze direkt aufgedruckt ist!

5. Die Suche nach dem heiligen Integral

AUFGABE SEITE 16

Welche Regel könnte Median ersonnen haben, die Ritter aufzuteilen? Es gibt verschiedene Möglichkeiten, aber eine bietet sich besonders an: die Ritter bezüglich ihrer Restklasse zu gruppieren. Das heißt, Median hat die Rückennummer jedes Ritters durch 3 geteilt und ihn je nachdem, welcher Rest bei dieser Division blieb, einer der drei Gruppen zugewiesen:

Gruppe 0: Rest 0
Gruppe 1: Rest 1
Gruppe 2: Rest 2

Wenn nun eine weiße Taube mit der Summe zweier Ritter eintrifft, dann muss nur die Teilbarkeit durch 3 geprüft werden, um herauszufinden, welcher Gruppe der ausbleibende Ritter angehört. Je nach Rest ergibt sich Folgendes:

Rest 0:
Je ein Ritter der Gruppe 1 und 2 muss eingetroffen sein. Denn $1 + 2 = 3$ lässt sich ohne Rest durch 3 teilen. Die Gruppe 0 muss also das heilige Integral gefunden haben.

Rest 1:
Je ein Ritter der Gruppe 0 und 1 kam zum Treffpunkt. Denn hier verbleibt ein Rest von $0 + 1 = 1$. Jemand aus der Gruppe 2 hat demnach das heilige Integral entdeckt.

Rest 2:
Je ein Ritter der Gruppe 0 und 2 erreichte den Versammlungsort, da nur hierbei ein Rest von $0 + 2 = 2$ übrig bleibt. Der Finder des heiligen Integrals gehört also der Gruppe 1 an.

6. Geometrische Nachtruhe im Zoo AUFGABE SEITE 19

Gesucht ist die Anordnung von Gnatzgnom-Schlafplätzen, die am meisten der Wesen auf einer rechteckigen Fläche unterbringt, sowie die maximale Anzahl von Gnomen in diesem Arrangement. Wie schon aus der Aufgabe hervorgeht, lassen sich die Gnome am besten einquartieren, wenn sie auf den Ecken der gleichseitigen Dreiecke sitzen, die das Rechteck ausfüllen. Aber wie sind diese Dreiecke im optimalen Fall zu platzieren?

Im Prinzip gibt es nur zwei sinnvolle Möglichkeiten, den Platz zu nutzen: Bei der einen ist jeweils eine Seite der Dreiecke parallel zur langen Seite des Rechtecks (Fall a), bei der anderen ist entsprechend jeweils eine Seite parallel zur kurzen Seite (Fall b). Rechnen wir nach, welche dieser beiden Dreiecks-Anordnungen das Rechteck besser füllt.

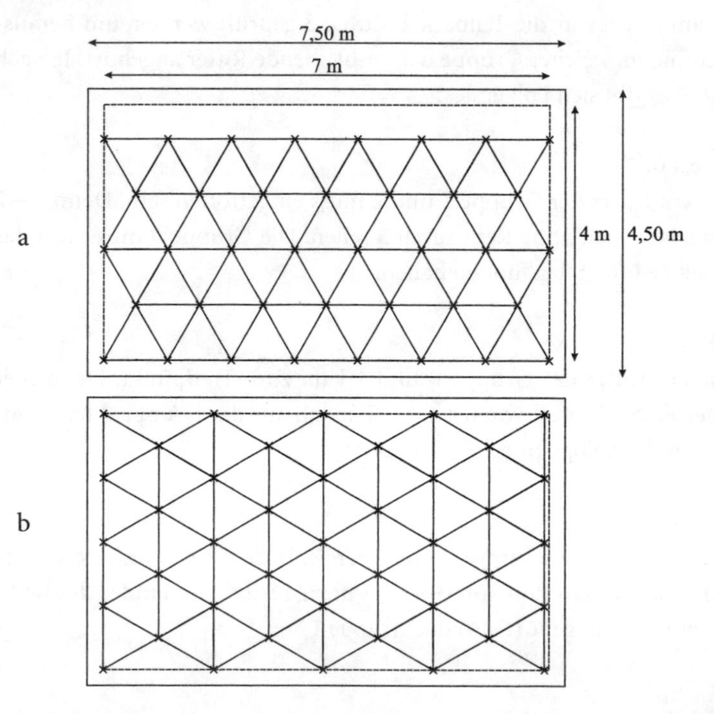

Zunächst der Fall a): Besetzen wir gedanklich die unterste Reihe in unserem Rechteck. Da die Gnome etwas Abstand zum Rand wahren – 0,25 Meter zu allen Seiten –, betrachten wir am besten gleich ein Rechteck, dessen Seiten jeweils 0,5 Meter kürzer sind als das ursprüngliche. Zu besetzen ist also in unserem Fall eine Fläche von 4 mal 7 Quadratmetern. Auf der unteren Seite dieses Rechtecks bekommen wir genau 8 Gnome unter – entsprechend einem Abstand von 7 Metern zwischen den Gnomen auf den Ecken links unten und rechts unten. Die nächste Reihe Gnome besetzt die Plätze zwischen denen der ersten, wobei die ganze Reihe etwas nach oben verschoben ist. Es passt also ein Gnom weniger dorthin, macht 7 pro Reihe. Der Reihenabstand lässt sich über den Satz des Pythagoras berechnen: Da wir wissen, dass benachbarte Gnome stets einen Abstand von einem Meter in einer gleichseitigen Dreiecksanordnung wahren, gilt für die Höhe h dieser Dreiecke und damit für den Abstand der Reihen:

$$1^2 = \left(\frac{1}{2}\right)^2 + h^2$$

$$h = \frac{1}{2}\sqrt{3}$$

Nun müssen wir nur noch ausrechnen, wie viele Reihen Gnome zusätzlich zur ersten auf diese Weise in das 4 Meter hohe Rechteck passen:

$$\frac{4}{\frac{1}{2}\sqrt{3}} = \frac{8}{\sqrt{3}} \approx 4{,}6$$

Es lassen sich also 4 Reihen zusätzlich zur ersten im Rechteck unterbringen, wobei ein wenig Platz verschenkt wird. Dabei wechseln sich Reihen mit 8 und 7 Gnomen ab. Da wir mit einer vollen 8er-Reihe beginnen, sind es 3 Reihen mit 8 Gnomen und 2 mit 7. Damit steht nun also die Gesamtzahl der möglichen Schlafplätze in dieser Anordnung fest:

$$3 \cdot 8 + 2 \cdot 7 = 38$$

Ganz analog rechnen wir die Zahl der Gnome für die Anordnung in b) aus. In die erste Spalte passen hier 5 Gnome. Der Spaltenabstand entspricht dem Reihenabstand in a), da die Dreiecke kongruent sind. Die Zahl der weiteren Spalten ist damit:

$$\frac{7}{\frac{1}{2}\sqrt{3}} = \frac{14}{\sqrt{3}} \approx 8{,}1$$

Es sind also 8 Spalten zusätzlich zur ersten, wobei hier die Gnomzahl zwischen 5 und 4 pro Spalte wechselt. Insgesamt ergibt sich:

$$5 \cdot 5 + 4 \cdot 4 = 41$$

Also ist die Anordnung b) günstiger als a). Sie ist im Übrigen auch besser als ein quadratisches Arrangement, wie wir schnell nachrechnen können: Lassen sich doch in ein quadratisches Gitter genau 8 Spalten und 5 Reihen unterbringen, womit lediglich 40 Gnome ein Zuhause fänden.

7. Die Falle für den Spieler AUFGABE SEITE 21

Name ist Programm bei Permutations, so muss Pechvogel Rupert tatsächlich alle Permutationen von sechs Ziffern durchprobieren, bis er schließlich bei der letzten Möglichkeit seinen Gewinn einstreichen darf. Ob das ein gutes Geschäft war? Rechnen wir für den allgemeinen Fall mit n Ziffern. Für die Anzahl der möglichen Zahlen, die sich aus diesen Ziffern bilden lassen, gilt:

$$n \cdot (n-1) \cdot (n-2) \ldots \cdot 2 \cdot 1 = n!$$

Jede der n Ziffern taucht im Lauf der $n!$ Spielrunden an jeder Dezimalstelle der n-stelligen Zahl gleich häufig auf, also genau

$$\frac{n!}{n} = (n-1)! \text{ -mal.}$$

Das fassen wir nun in eine Formel für den maximalen Gesamtverlust:

$$V = (n-1)! \sum_{i=1}^{n} i \cdot \sum_{i=1}^{n} 10^{i-1}$$

Die Formel sieht komplizierter aus, als sie ist. Den ersten Faktor haben wir ja bereits erklärt. Der zweite Faktor, die Summe über alle Zahlen von 1 bis n, berücksichtigt alle möglichen Ziffern an einer bestimmten Stelle der Zahl. Der Term lässt sich unter Verwendung der Summenformel für eine arithmetische Zahlenfolge etwas kompakter schreiben:

$$\sum_{i=1}^{n} i = \frac{n(n+1)}{2}$$

Der letzte Faktor ist die Summe über alle Zehnerpotenzen bis 10^n. Auch dieser Ausdruck lässt sich, da es sich um eine geometrische Reihe handelt, noch etwas vereinfachen:

$$\sum_{i=1}^{n} 10^{i-1} = \frac{10^n - 1}{10 - 1} = \frac{10^n - 1}{9}$$

In der Summe ergibt sich damit folgender Maximalverlust für ein Spiel mit n Ziffern:

$$V = (n-1)! \, \frac{n(n+1)}{2} \, \frac{10^n - 1}{9}$$

Das Einsetzen von $n = 6$ liefert also einen Verlust von 279 999 720 Cent. Angesichts eines Gewinnes von einer lumpigen Million Cent wahrlich kein gutes Geschäft für Rupert. Aber das war bei einem Glücksspiel auch nicht anders zu erwarten. Schließlich will die Bank verdienen und hat wohlweislich den trivialen, aber dennoch lukrativen Fall von $n = 1$ ausgeschlossen. Immerhin würden hier bei einem Einsatz von einem Cent sichere zehn Cent Gewinn winken. Und auch der durchaus einträgliche Fall $n = 2$ ist ausgeschlossen. Hier stehen 33 Cent Verlust noch einem Gewinn von 100 Cent entgegen. Bei allen weiteren Spielvarianten mit mehr als zweistelligen Zahlen liegt der Vorteil indes eindeutig bei der Bank.

8. Ein Scherz zu viel

AUFGABE SEITE 23

Mehrere Fragen sind bei dieser Aufgabe zu lösen. Zunächst ist nach dem Winkelbereich gefragt, in dem die mittig an einer Bande liegende Billardkugel angespielt werden muss, damit sie nacheinander alle drei Banden des gleichseitig dreieckigen Billardtisches berührt. Am besten lassen sich diese und die weiteren Fragen lösen, indem man den Billardtisch in Gedanken an den Rändern spiegelt. Da die Kugel an den Banden genau in dem Winkel reflektiert wird, in dem sie dort auftrifft, können wir ihre Bahn in den gespiegelten Dreiecken einfach gerade fortsetzen, was das Problem deutlich übersichtlicher macht.

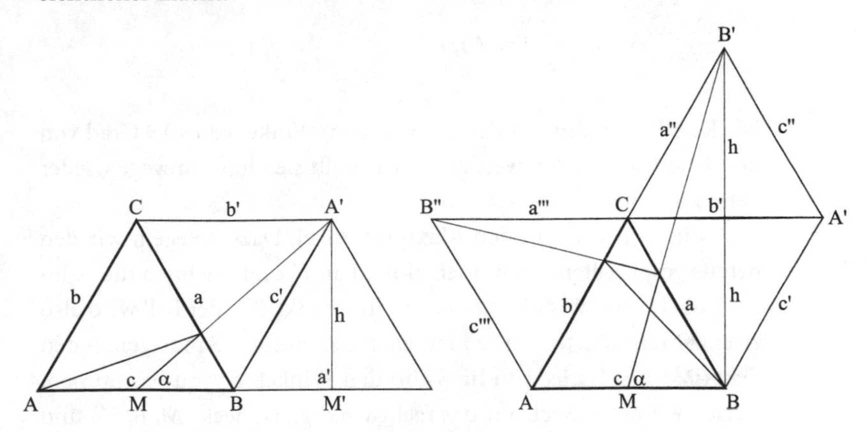

Um also den minimalen Winkel α für den Rundkurs herauszufinden, ziehen wir eine gerade Linie von der Mitte der Seite *c*, schneiden die Bande *a* und zielen genau auf den Spiegelpunkt *A′*. Wie groß ist nun *α*? Schauen wir uns dazu das rechtwinklige Dreieck (*B*, *M′*, *A′*) an: Die Seite *h* ist über den Satz von Pythagoras zu berechnen – für die Seitenlänge der gleichseitigen Dreiecke verwenden wir bei unserer Rechnung immer *a*:

$$a^2 = h^2 + \frac{a^2}{4}$$

$$h^2 = \frac{3}{4}\,a^2$$

$$h = \frac{\sqrt{3}}{2}\,a$$

Damit können wir nun den minimalen Winkel α_{min} im rechtwinkligen Dreieck (M, M', A') über den Tangens ausrechnen:

$$\tan \alpha_{\text{min}} = \frac{h}{a} = \frac{\sqrt{3}}{2}$$

$$\alpha_{\text{min}} = \arctan\left(\frac{\sqrt{3}}{2}\right) \approx 40{,}9°$$

Die Kugel muss also mindestens in einem Winkel von 40,9 Grad von der Bande angestoßen werden, sonst prallt sie ohne Umwege wieder zurück zur Seite c.

Bestimmen wir nun den Maximalwinkel. Dazu spiegeln wir den bereits gespiegelten Tisch noch einmal an b' und zeichnen die Bahn der Kugel von M aus über a und b' zum Punkt B' – der Ball wird also zweimal reflektiert, trifft jedoch nach der zweiten Bande genau den Eckpunkt des Tischs. Um hier nun den Winkel α_{max} zu bestimmen, werfen wir einen Blick auf das rechtwinklige Dreieck (M, B, B') und nutzen dort wieder die Tangensbeziehung:

$$\tan \alpha_{\text{max}} = \frac{4h}{a} = 2\sqrt{3}$$

$$\alpha_{\text{max}} = \arctan\left(2\sqrt{3}\right) \approx 73{,}9°$$

Für den Winkel α muss also gelten:

$40{,}9^\circ < \alpha < 73{,}9^\circ$

Nun zur zweiten Frage, ob es einen Winkel gibt, der die mittig angestoßene Kugel wieder an ihren Ursprung zurückkehren und – solange die Reibung sie nicht vollständig abgebremst hat – den Kurs immer wiederholen lässt. Auch hier helfen wieder unsere gespiegelten Tische: Wir ziehen nun eine Linie von *M* über die Seiten *a* und *b'* wieder zur Mitte von *c''*. Aus Symmetriegründen ist der Winkel, mit dem die Kugel angespielt werden muss, hierbei genau 60 Grad.

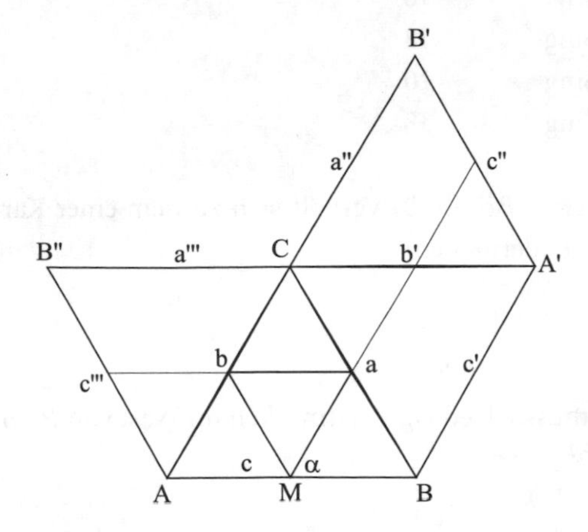

Auch andere wiederkehrende Bahnen sind möglich. Es gibt sogar unendlich viele. Das Rezept, sie zu finden: Man wähle einen beliebigen Punkt auf der Seite *c* und zeichne eine Linie zum entsprechenden Punkt auf einer der gespiegelten Seiten *c''*, *c'''* und so weiter.

Schlussendlich hat der Boss doch Spaß an dem Spiel gefunden, als er dessen Prinzip endlich verstanden hatte – zu dumm, dass es für Funny Jimmy diesmal zu spät war.

9. Urlaubsgrüße von der Insel AUFGABE SEITE 26

Wir haben sieben unterschiedliche Briefmarken in der kuriosen Währung der Dodekaier, wobei sechs für das Porto eines Briefes und einer Karte verklebt wurden. Um das Problem etwas zugänglicher zu gestalten, rechnen wir den Wert der Marken zunächst in Sing um:

Marke	Wert in Sing
5 Sing	5
9 Sing	9
1 Duod	12
1 Duod 4 Sing	16
1 Duod 6 Sing	18
1 Duod 8 Sing	20
3 Duod 2 Sing	38

Das Porto eines Briefs (*B*) verhält sich zu dem einer Karte (*K*) laut Hedwig folgendermaßen:

$$B = \frac{3}{2} K$$

Insgesamt musste Hedwig Briefmarken im Wert von *P* verkleben:

$$P = B + K = \frac{5}{2} K$$

Das Gesamtporto *P* muss also durch 5 teilbar sein, ansonsten kämen für das Brief- bzw. Kartenporto keine ganzen Werte heraus. Bezahlt hat sie für die Marken insgesamt 118 Sing. Da sie bis auf eine Marke alle verklebt hat, bleiben nur zwei Möglichkeiten für diese übrig gebliebene Marke: die 18- oder die 38-Sing-Marke. Ansonsten wäre *P* nicht durch 5 teilbar.

Prüfen wir zunächst, ob die Klebeaktion aufgeht, wenn wir uns die 18er-Marke sparen. Dann entfielen auf den Brief 60 und auf die Karte 40 Sing Porto. Für keines der beiden Poststücke hätten wir jedoch die passenden Marken zur Hand – einerlei, wie wir die verbleibenden Marken auch kombinieren.

Lassen wir also die 38-Sing-Marke weg. In diesem Fall kostet der Brief 48 Sing und die Karte 32. Tatsächlich lassen sich diese Werte mit den Briefmarken zusammenstellen: beispielsweise 12, 16 und 20 Sing für den Brief sowie 5, 9 und 18 Sing für die Karte. Wir könnten den Brief aber auch mit der 5er-, der 9er-, der 16er- und der 18er-Marke bekleben. Für die Karte würden die 12er und die 20er gerade reichen.

Rechnen wir nun die Angaben wieder in das übliche Währungssystem aus Sing und Duod um, dann erhalten wir ein Briefporto von genau 4 Duod, für eine Karte sind 2 Duod und 8 Sing zu entrichten, und die übrige Marke hat einen Wert von 3 Duod und 2 Sing.

10. Pulsierende Schwerkraft

AUFGABE SEITE 27

Platzieren wir das Schwarze Loch gedanklich in einem kartesischen Koordinatensystem mit den Achsen *x*, *y* und *z*. Der Mittelpunkt der Gravitationsfalle soll ohne Beschränkung der Allgemeinheit bei $M(m_x, 0, m_z)$ liegen. Die planaren Felder werden von der *xy*- sowie der *yz*-Ebene des Koordinatensystems aufgespannt.

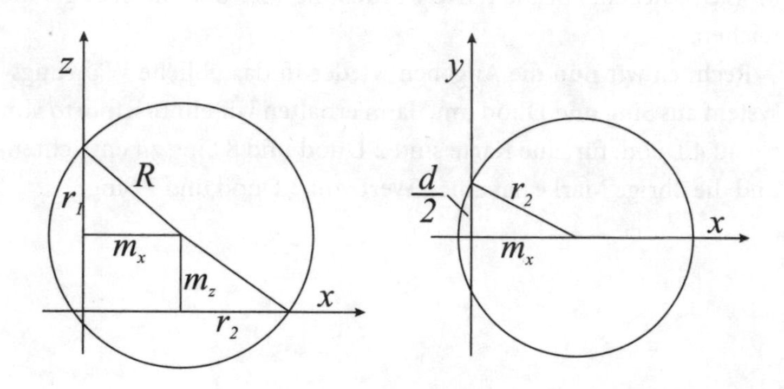

Schauen wir uns zunächst das Schwarze Loch in der *xz*-Ebene an. Hier gilt gemäß dem Satz des Pythagoras für den Radius *R* des Schwarzen Lochs, den Radius r_1 seines Schnittkreises mit der *yz*-Ebene und m_x:

$$R^2 = r_1^2 + m_x^2$$

Zur Berechnung von m_x^2 schauen wir uns nun die *xy*-Ebene an. Hier nutzen wir erneut den Satz von Pythagoras:

$$r_2^2 = m_x^2 + \left(\frac{d}{2}\right)^2$$

$$m_x^2 = r_2^2 - \left(\frac{d}{2}\right)^2$$

Damit ergibt sich für den Radius des Schwarzen Lochs:

$$R^2 = r_1^{\,2} + r_2^{\,2} - \left(\frac{d}{2}\right)^2$$

Mit den gegebenen Werten für die Radien $r_1 = 18$ nm und $r_2 = 25$ nm und dem Abstand der Schnittpunkte $d = 14$ nm ergibt sich also:

$$R^2 = 18^2 + 25^2 - 7^2 = 900$$
$$R = 30$$

Bei größter Ausdehnung besitzt das Schwarze Loch demnach einen Radius von 30 Nanometern. Wir können nur hoffen, dass es nicht von einem der Wissenschaftler aus Versehen eingeatmet wird, der Arme würde sonst sicherlich ganz heftige Hustenanfälle bekommen.

11. Der Groschen

AUFGABE SEITE 30

Gar nicht von Pappe: das Bußgeld, das Herr Goscinny zahlen musste, dafür, dass er sich und seinen Magneten im Gully versenkt hat. Doch wie genau berechnet es sich?

Es hängt jedenfalls in ziemlich merkwürdiger – man könnte fast meinen willkürlicher – Art und Weise von den speziellen Gegebenheiten des Ortes ab, an dem die jeweilige Ordnungswidrigkeit stattfindet. Doch das ist für uns nicht weiter von Belang. Uns interessiert, wie viele ganze Zahlen bis einschließlich 2004 durch 3 oder 4, jedoch nicht durch 5 teilbar sind.

Berechnen wir zunächst, wie viele durch 3 teilbare Zahlen es gibt. Dazu teilen wir 2004 kurzerhand durch selbige Zahl:

$2004 : 3 = 668$

Es sind also exakt 668. Verfahren wir genauso mit der 4:

$2004 : 4 = 501$

Hier sind es 501 Zahlen. Jetzt haben wir jedoch einige Zahlen doppelt gezählt. Nämlich alle, die sowohl durch 3 als auch durch 4 teilbar sind – die 12 zum Beispiel und alle ihre Vielfachen. Um das Ergebnis entsprechend zu korrigieren, ziehen wir alle Vielfachen von 12 bis einschließlich 2004 ab. Davon gibt es:

$2004 : 12 = 167$

Aber wir müssen noch mehr Zahlen streichen: nämlich alle, die auch durch 5 teilbar sind. Also alle Vielfachen von $3 \cdot 5 = 15$ und $4 \cdot 5 = 20$:

$2004 : 15 = 133{,}6$
$2004 : 20 = 100{,}2$

Da nur ganze Zahlen gesucht werden, ist der Rest zu vernachlässigen, womit 133 und 100 von der bisherigen Summe abzuziehen sind. Das jedoch ist wiederum ein wenig zu viel. Denn nun haben wir alle Zahlen, die sowohl durch 3, 4 und 5 – also durch $3 \cdot 4 \cdot 5 = 60$ – teilbar sind, doppelt abgezogen. Das mag Herrn Goscinny vielleicht freuen, doch die Polizei vor Ort ist auf Trab und schlägt die fehlende Zahlenzahl geschwind wieder auf:

$$2004 : 60 = 33{,}4$$

Auch hier müssen wir wieder abrunden. Damit haben wir aber nun endlich alle Zahlen zusammen, um das Bußgeld zu berechnen:

$$668 + 501 - 167 - 133 - 100 + 33 = 802$$

Herr Goscinny musste also 802 Euro berappen und hat sich reiflich überlegt, noch einmal in den Gully zu springen – im Übrigen nicht nur aus diesem Grund.

12. Die Bahn kommt

Ein Dreieck, und damit auch seine Fläche, ist durch die Länge seiner drei Seiten eindeutig bestimmt. Ohne den Flächeninhalt eines Dreiecks aus den Seitenangaben berechnen zu müssen – etwa mit Hilfe der Heron'schen Formel –, lässt sich sagen, wie er sich verändert, wenn alle Seiten mit einem Faktor x multipliziert werden.

Dazu betrachten wir ein beliebiges Dreieck, bei dem wir zwei Seiten (nennen wir sie a und b) um das x-fache verlängern, sodass sie die Seiten a' und b' eines neuen, größeren Dreiecks ergeben. Wir schließen dieses Dreieck mit einer dritten Seite c', die durch die Enden von a' und b' und damit parallel zu c verläuft. Gemäß der Strahlensätze muss auch c' die x-fache Länge von c besitzen, denn es gilt:

$$\frac{c'}{c} = \frac{a'}{a} = x$$

Auch die Höhe des Dreiecks vergrößert sich beim Strecken der Seiten um das x-fache, wie ebenfalls aus den Strahlensätzen folgt:

$$\frac{h'}{h} = \frac{a'}{a} = x$$

Da die Fläche eines Dreiecks proportional zum Produkt aus Höhe und Grundseite ist, in diesem Fall aus h und c bzw. h' und c', muss sie sich beim Verlängern aller Seiten um den Faktor x selbst um den Faktor x^2 vergrößern.

In unserem Fall hat der Tisch also die vierfache Größe. Anstelle von 7 Quadratmetern muss Günther nun 28 Quadratmeter Modell-Landschaft gestalten.

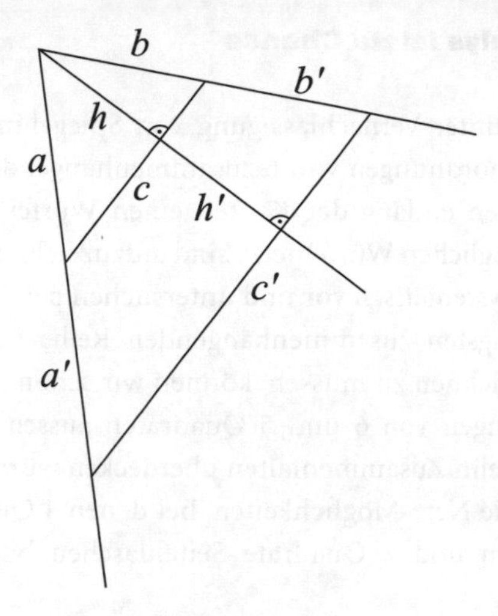

Übrigens gilt ganz allgemein nicht nur für Dreiecke: Verlängert man die Seiten einer Figur um den Faktor x, so vergrößert sich ihre Fläche um den Faktor x^2.

Das Problem konnte Günther schlussendlich recht elegant lösen. Anstatt, wie geplant, eine Bahnstrecke in der Spurweite 0, also im Maßstab 1 : 45, aufzubauen, ließ er sich einfach noch schnell von seinen Kollegen die Schienen und landschaftlichen Accessoires in der Spurweite II entsprechend dem Maßstab 1 : 22,5 liefern. Seine extra für die Messe angefertigte Skizze für das Streckennetz musste er deshalb gar nicht abändern. Letztlich war der Fehler der Messebauer ein Glücksfall gewesen, denn dank des großzügigen Arrangements zog nun die Anlage viel mehr Publikum an, als es sonst der Fall gewesen wäre.

13. O'Knobelys letzte Chance AUFGABE SEITE 37

Gesucht sind unter Vernachlässigung von Spiegelungen und Drehungen alle Anordnungen von 6 zusammenhängenden Quadraten, die durch Falten entlang der Kanten einen Würfel ergeben. Kurz gesagt: Alle möglichen Würfelnetze sind aufzuzeichnen.

Gehen wir systematisch vor und untersuchen peu à peu die Netze nach ihrer längsten zusammenhängenden Reihe von Quadraten. Ohne etwas zeichnen zu müssen, können wir schon im Vorfeld Aneinanderreihungen von 6 und 5 Quadraten ausschließen, da sich hier Flächen beim Zusammenfalten überdecken würden. Überlegen wir uns also die Netz-Möglichkeiten, bei denen 4 Quadrate nebeneinander liegen und 2 Quadrate Seitenlaschen bilden. Folgende Netze gibt es:

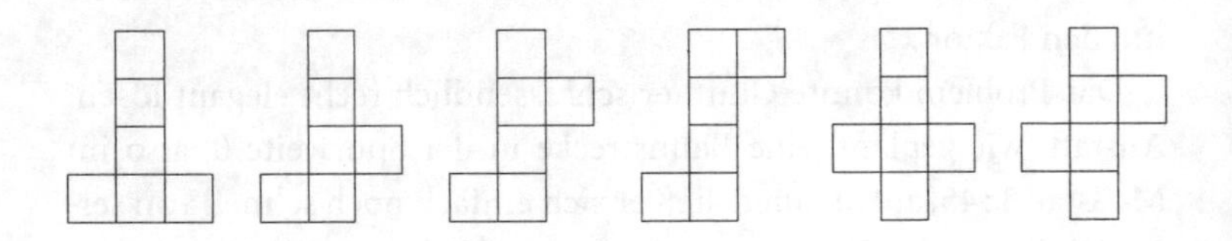

Kommen wir zu den Möglichkeiten, wo die längste Reihe aus 3 Quadraten besteht:

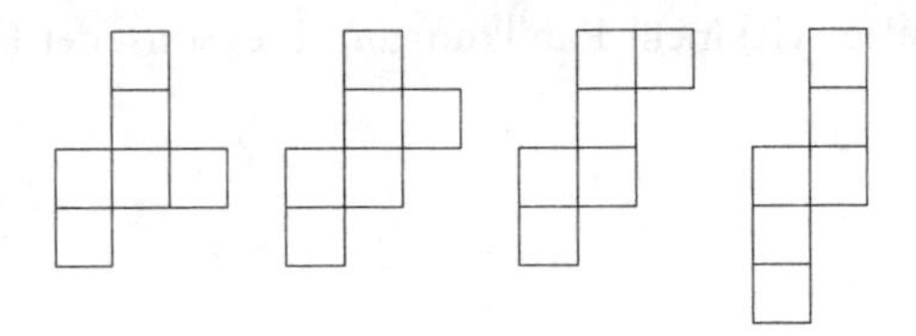

Es gibt nur eine Möglichkeit mit 2er-Kette:

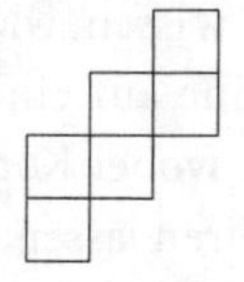

Insgesamt zählen wir also 11 verschiedene Würfelnetze. Offenbar hat sich Patrick doch lange genug mit diesen Polygonen beschäftigt, denn nach langem Überlegen gab er dem Koboldkönig die richtige Antwort. Da blieb Seiner Majestät nichts anderes übrig, als den Gefangenen gehen zu lassen – nicht jedoch, ohne vorher mit einem Wink der Hand und einem kleinen Zauberspruch sicherzustellen, dass sich auch in Zukunft jeder Würfel, den Patrick berührte, auseinander faltete. Nicht, dass das nötig gewesen wäre, denn der Ausflug zum König der Kobolde hatte Patrick ohnehin schon das Glücksspiel verleidet. Jedenfalls lebten er und seine Shonett bis zum Ende ihrer Tage in Glück und Harmonie.

14. Also, das geht so ... AUFGABE SEITE 42

Die beiden Mädchen wollen wissen, wie viele Möglichkeiten es gibt, zwei ununterscheidbare Steine auf einem sieben mal sieben Felder großen Areal zu platzieren, wobei Konstellationen, die sich durch Rotation ineinander überführen lassen, nur einmal zählen.

Offensichtlich gibt es $7 \cdot 7 = 49$ Möglichkeiten, den ersten Stein zu setzen. Für den zweiten bleiben ohne die Symmetrieeinschränkung $49-1$ Möglichkeiten. Macht also insgesamt $49 \cdot 48 = 2352$ Möglichkeiten, die allerdings noch durch 2 zu teilen sind, da die Steine ununterscheidbar sind. Das macht 1176 Möglichkeiten, die beiden Steine auf dem Spielplan zu positionieren.

Nun fallen allerdings noch Positionen weg, die durch Drehsymmetrie doppelt beziehungsweise vierfach vorkommen. Zunächst die doppelten Möglichkeiten: Das sind die Steinpositionen, die symmetrisch bezüglich des mittleren Feldes sind (siehe Abbildung). Es gibt deren 24 (in der Skizze gekennzeichnet durch die jeweils gleiche Zahl, auf der das Steinpaar liegt). Eine Drehung um 180 Grad zeigt dasselbe Arrangement wie im Original. Von den ursprünglich 24 Möglichkeiten bleiben also nur die Hälfte übrig.

1	2	3	4	5	6	7
8	9	10	11	12	13	14
15	16	17	18	19	20	21
22	23	24		24	23	22
21	20	19	18	17	16	15
14	13	12	11	10	9	8
7	6	5	4	3	2	1

Von den restlichen 1176 – 24 = 1152 Möglichkeiten gehen jeweils 4 durch Rotation um 90 Grad ineinander über. Es gibt in diesen Fällen demzufolge jeweils 4 drehsymmetrische Möglichkeiten. Also sind die 1152 durch 4 zu teilen. Insgesamt berechnet sich die Zahl der möglichen Spielfeldkombinationen daher folgendermaßen:

$$\frac{1176-24}{4}+\frac{24}{2}=300$$

15. Ein Crashkurs in Aktienhandel AUFGABE SEITE 44

Der Aktienhandel ist offensichtlich ein sehr spezielles Geschäft. Versuchen wir unser Glück mit den Shareholdervaluebändchen.

Das erste teilt die Aktionärsgruppe in jedem Fall in 2 Teile. Mit dem zweiten Bändchen kommen maximal 2 neue Gruppen hinzu, und zwar genau dann, wenn sich die beiden Bänder schneiden. Macht in der Summe also 4. Das dritte Band liefert maximal 3 neue Gruppen – eine pro Schnittpunkt mit einem bereits gespannten Band plus eine weitere. Insgesamt sind es schon 7 Grüppchen. Entsprechend kommen beim vierten Band 4 und beim fünften Band 5 Gruppen hinzu, was summa summarum 11 bzw. 16 Fraktionen schafft. Damit haben wir eigentlich schon die Lösung. Aber vielleicht lässt sich auch eine Formel für die maximale Gruppenzahl aufstellen.

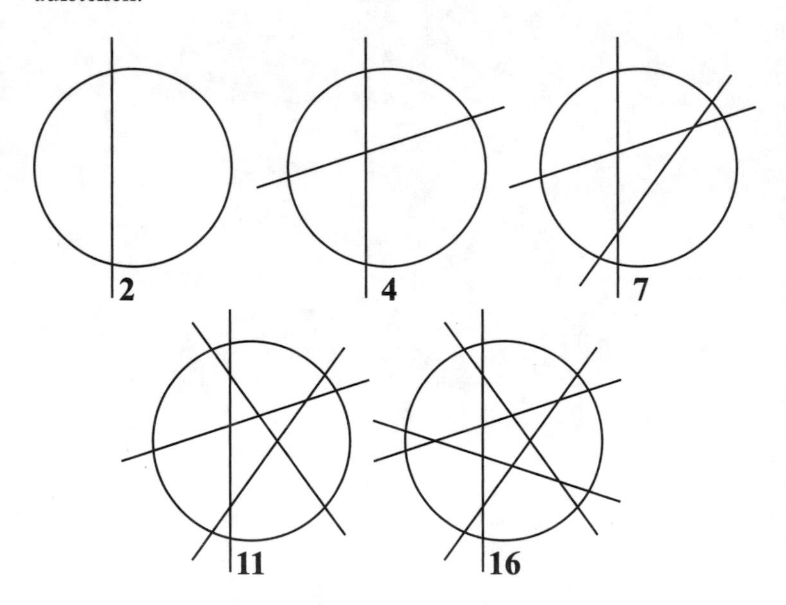

Zunächst der Übersicht halber eine Tabelle mit dem bisherigen Ergebnis:

Anzahl n an Bändchen	maximale Gruppenzahl G_n
0	1
1	2
2	4
3	7
4	11
5	16
6	22

Eine Rekursionsformel für G_n lautet also offensichtlich:

$$G_n = G_{n-1} + n$$

Mithilfe der arithmetischen Folge lässt sich aus dieser Rekursionsformel eine Summenformel für G_n gewinnen, die beispielsweise mit vollständiger Induktion bewiesen werden kann:

$$G_n = \frac{n}{2}(n+1) + 1$$

Tatsächlich blieb der Börse nicht zuletzt durch das Auffinden dieser Formel ein Schwarzer Freitag erspart, und die Baisse konnte sogar in eine Hausse gewandelt werden – sehr zur Freude der Aktionäre, die endlich wieder ihr Gehege verlassen durften.

16. Eine patente Klagewelle

AUFGABE SEITE 47

Dann wollen wir dem Präsidenten mal helfen. Die Klagen sollen also anhand ihrer Nummern zu Primzahlen gruppiert werden, um die Gerichte möglichst lang zu beschäftigen. Dabei soll die Summe aller Primzahlen minimal werden. Was müssen wir beachten?

Zunächst gibt es Ziffern, die für sich allein auch ohne Kombination schon prim sind. Die Ziffern 2, 3, 5 und 7 müssen also prinzipiell nicht mit einer anderen Ziffer kombiniert werden. Ferner dürfen die aus den Ziffern zusammengesetzten Zahlen nicht auf eine gerade Zahl oder 5 enden, sonst wären sie auf jeden Fall teilbar.

Damit die Summe der Zahlen nicht zu groß wird, versuchen wir erst einmal alle Ziffern in ein- und zweistelligen Zahlen unterzubringen. Die geraden Ziffern 4, 6 und 8 müssen dann auf jeden Fall auf der Zehnerstelle stehen und durch eine ungerade Ziffer zur Primzahl ergänzt werden. Bei der 8 kommt als Partner nur die 9 oder 3 in Frage – von Letzterer gibt es allerdings nur drei. Also nutzen wir alle 9er, von denen haben wir ja genug. Wir erhalten:

$8 \cdot 89 = 712$

Eine 9 bleibt übrig, um diese kümmern wir uns später. Weiter geht's mit den 6ern. Diese bilden nur mit Hilfe der 7 oder der 1 eine Primzahl. Die 1 gibt's nur einmal. Also greifen wir lieber zur 7 und erhalten:

$6 \cdot 67 = 402$

Die übrig bleibende 7 macht keine Arbeit, da sie auch solo prim ist. Vielleicht brauchen wir sie später noch. Kommen wir zu den 4ern. Hier schaffen wir eine Primzahl durch Ergänzen einer 7, einer 3 oder einer 1. Da wir nur eine 1 und lediglich eine 7 übrig haben, bedienen wir uns der 3er:

$3 \cdot 43 = 129$

Die übrig bleibende 4 kombinieren wir außerdem mit der 7 zu 47, da wir die 1 eventuell noch als Zehnerstelle gebrauchen können. Denn falls eine Ziffer nicht von sich aus prim ist, lässt sie sich mit der 1 vielleicht zumindest zu einer kleinen zweistelligen Primzahl erweitern.

Machen wir Inventur. Übrig bleiben: eine 1, zwei 2er, fünf 5er und eine 9 – alles Primzahlen, von der 1 und der 9 einmal abgesehen. Ergänzen wir diese also kurzerhand mit der 1 zur 19 – kleiner geht's nicht – und addieren nun alle Primzahlen:

$$\begin{aligned} 1 \cdot 19 &= 19 \\ 2 \cdot 2 &= 4 \\ 3 \cdot 43 &= 129 \\ 1 \cdot 47 &= 47 \\ 5 \cdot 5 &= 25 \\ 6 \cdot 67 &= 402 \\ 8 \cdot 89 &= \underline{712} \\ & 1338 \end{aligned}$$

Die Summe der Primzahlen lautet 1338. Eine kleinere Summe ist mit den Vorgaben nicht möglich. Sollte sich der Präsident tatsächlich mit dieser windigen Aktion aus der Affäre geschlichen haben? Nun, die Gerichte werden entscheiden.

17. Der quadratische Stern von Bethlehem

AUFGABE SEITE 52

Wie bekommen wir einen «Stern» oder, besser gesagt, ein Quadrat konstruiert, auf dessen Seiten oder verlängerten Seiten vier beliebige Punkte einer Ebene liegen?

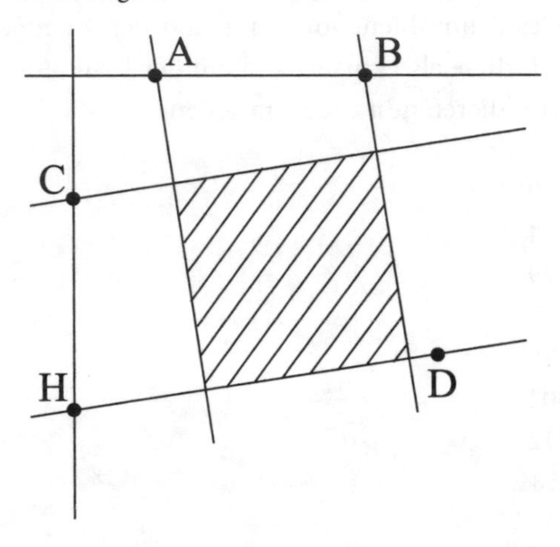

Wählen wir zuerst zwei der Punkte – der Einfachheit halber *A* und *B* – und ziehen eine Gerade durch diese. Von dieser Geraden fällen wir nun eine Senkrechte, die durch einen dritten Punkt *C* verläuft. So weit, so gut. Um nun nicht in der Luft hängen zu bleiben, brauchen wir einen Hilfspunkt, nennen wir ihn *H*, mit dem wir das Quadrat konstruieren können. Diesen Hilfspunkt erhalten wir, wenn wir von *C* aus die Strecke *AB* abtragen. Der Rest ist nun ein Kinderspiel. Durch *H* und *D* legen wir eine Gerade – welche eine Seite des Quadrats bildet. Parallel zu dieser Geraden zeichnen wir eine zweite durch den Punkt *C* – hier befindet sich die gegenüberliegende Seite des Quadrats. Nun sind auf dieser Seite nur noch je eine Senkrechte durch *A* und *B* zu legen. Voilà, das Quadrat ist geschlossen. Sicherlich etwas gewöhnungsbedürftig als Weihnachtsstern, aber den Anforderungen des Cubicus vollauf genügend. Doch was wohl der Chef dazu sagt?

18. Zwei Schatten

AUFGABE SEITE 54

Schweißgebadet wachte Franz K. aus seinem Albtraum auf, der in der realen Welt nur Minuten dauerte. In der düsteren Traumwelt war jedoch deutlich mehr Zeit vergangen, wie wir gleich sehen werden. Fassen wir die Angaben aus der Geschichte, die wir zur Lösung der Aufgabe brauchen, zusammen. Zunächst für die Zeit $t = 0$:

- Die Position von Franz K. und der Gottesanbeterin liegt 5 Meter vor der Wand respektive der Kerze.
- Die Länge sl_F von K.s Schatten beträgt 3 Meter.
- K. ist 1,8 Meter groß.
- Der Schatten der Gottesanbeterin misst sl_G = 5 Meter in der Länge.

Zur Zeit t = 1 Stunde ist ein neuer Wert für K.s Schattenlänge gegeben:

- Die Länge sl_F beträgt nun 4 Meter.

Schließlich kennen wir noch die Entfernung zum Altar:

- Sie beträgt 20 Meter.

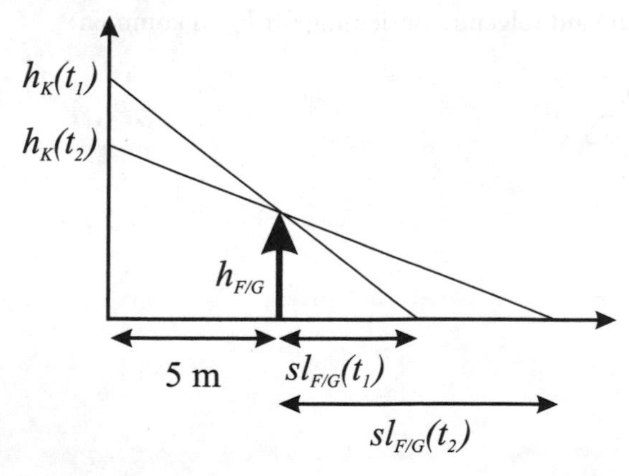

Berechnen wir zunächst die Höhe der Kerzenflamme h_K, zur Zeit $t = 0$ vom Boden aus gerechnet. Aus der Abbildung ist ersichtlich, dass wir die Höhe nach dem Strahlensatz ausrechnen können. Es gilt:

$$\frac{h_K}{(sl_F + 5)} = \frac{h_F}{sl_F}$$

Damit ist h_K:

$$h_K = \frac{h_F}{sl_F} (sl_F + 5)$$

Das Einsetzen der Werte für die Zeit $t = 0$ liefert eine Höhe der Kerzenflamme von 4,80 Meter. Analog berechnen wir die Höhe h_K zur Zeit $t = 1$ Stunde. Zu diesem Zeitpunkt ist der Schatten von K. bereits 4 Meter lang. Für h_K ergeben sich damit 4,05 Meter. Da die Kerze laut Aufgabenstellung gleichmäßig abbrennt, schrumpft sie mit 0,75 Metern pro Stunde.

Berechnen wir nun die Größe der Gottesanbeterin zur Zeit $t = 0$, damit wir mit diesem Wert die Flammenhöhe für den Moment ermitteln können, in dem ihr Schatten den Altar berührt. Zunächst zur Größe der Gottesanbeterin h_G: Auch hier nutzen wir den Strahlensatz, um auf folgende Beziehung für h_G zu kommen:

$$h_G = \frac{h_K}{sl_G + 5} \cdot sl_G$$

Damit erhalten wir eine stattliche Größe von 2,4 Metern für das Insekt. Die Flammenhöhe berechnen wir nun wie im obigen Fall, nur dass wir diesmal nicht die Größe und Schattenlänge von K. benutzen, sondern die der Gottesanbeterin:

$$h_K = \frac{h_G}{sl_G} (sl_G + 5)$$

Die Kerzenflamme ist also im Laufe der Zeit auf eine Höhe von 3 Metern abgebrannt. Das heißt, die Kerze ist um genau 1,80 Meter geschrumpft. Mit der oben ermittelten Brenngeschwindigkeit errechnen wir eine Dauer von 2,4 Stunden oder 2 Stunden und 24 Minuten – ganz schön lang die Traumzeit. Jedenfalls ist K. froh, dass draußen nun die Sonne lacht und seine finsteren Gedanken langsam vertreibt. Eines hat er sich jedoch geschworen: Nie wieder wird er sich so einen Gruselfilm ansehen wie gestern Abend im Fernsehen.

Wie konnte der Kurs so schnell verfallen? Berechnen wir zunächst das Luft-Kapital für die ersten Wochen:

Start: $A_0 = A$

1. Woche: $A_1 = \dfrac{A_0}{1 + A_0} = \dfrac{A}{1 + A}$

2. Woche: $A_2 = \dfrac{A_1}{1 + A_1} = \dfrac{\dfrac{A}{1 + A}}{1 + \dfrac{A}{1 + A}} = \dfrac{A}{1 + A} \cdot \dfrac{1 + A}{1 + 2A} = \dfrac{A}{1 + 2A}$

3. Woche: $A_3 = \dfrac{A_2}{1 + A_2} = \dfrac{\dfrac{A}{1 + 2A}}{1 + \dfrac{A}{1 + 2A}} = \dfrac{A}{1 + 2A} \cdot \dfrac{1 + 2A}{1 + 3A} = \dfrac{A}{1 + 3A}$

Schauen wir uns die Kapitalentwicklung an, dann können wir bereits eine Vermutung anstellen, wie das Kapital in der n-ten Woche aussieht:

n-te Woche: $A_n = \dfrac{A}{1 + nA}$

Wir beweisen diese Formel durch vollständige Induktion:

Induktionsanfang:
Die Aussage gilt für $n = 1$. Das haben wir oben bereits durch direkte Rechnung gezeigt.

Induktionsschritt:
Zu zeigen ist: $A_n \Rightarrow A_{n+1}$

Wir gehen von A_n aus und benutzen die rekursive Formel aus der Aufgabenstellung:

$$A_n = \frac{A}{1+nA}$$

$$A_{n+1} = \frac{A_n}{1+A_n} = \frac{\frac{A}{1+nA}}{1+\frac{A}{1+nA}} = \frac{A}{1+nA} \cdot \frac{1+nA}{1+(n+1)A} = \frac{A}{1+(n+1)A}$$

Damit ist die oben stehende Formel für die n-te Woche bewiesen. Für $n = 2001$ Wochen beträgt das Luft-Kapital also:

$$A_{2001} = \frac{A}{1+2001A}$$

So viel Kapital beziehungsweise heiße Luft ist noch vorhanden. Schauen wir uns zu guter Letzt noch den prozentualen Verlust an:

$$\frac{A_{2001}}{A} \cdot 100\% = \frac{100\%}{1+2001A}$$

Wie man sieht, hängt dieser offenbar stark vom Anfangswert A ab. Ist dieser sehr klein, dann sind auch die Verluste marginal. Starten die Broker jedoch mit einer großen Menge heißer Luft, dann ist nach 2001 Wochen davon fast nur noch Wohlgefallen übrig.

Ob Strahlensatz, Integralrechnung oder Dreiecksformel – viele Wege führen bei dieser Aufgabe zur Lösung. Wir haben uns hier die Geradengleichungen ausgesucht. Um die Größe der Vierecksfläche zu bestimmen, berechnen wir jedoch erst einmal den Flächeninhalt des gesamten quadratischen Grundstücks und ziehen davon die Hälfte ab, da die Diagonale des Cross-Blindekuh die Fläche genau halbiert.

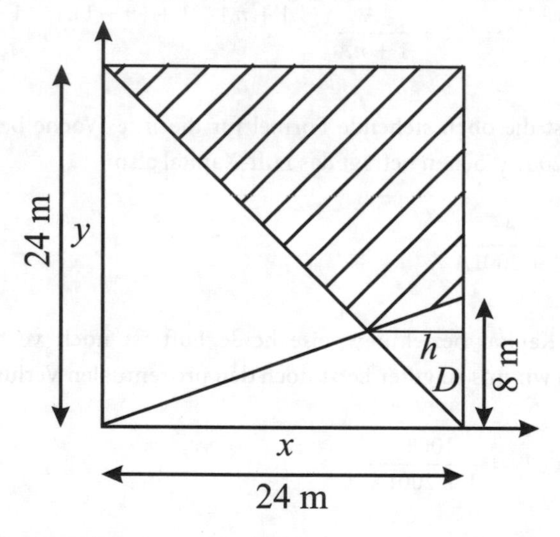

Nun fehlt eigentlich nur noch die Fläche des kleinen Dreiecks *D*, das von der rechten Kante, der Cross-Blindekuh-Diagonalen und der Kirschkerndreispuck-Begrenzung aufgespannt wird, zur Lösung. Denn wenn wir diese Fläche abziehen, haben wir die Größe des Teichs.

Eine Seitenlänge haben wir mit 8 Metern bereits. Fehlt nur noch die Höhe auf dieser Seite. Um diese zu berechnen, denken wir uns das Grundstück in ein kartesisches Koordinatensystem eingezeichnet, dessen Ursprung in der linken vorderen Ecke des Grundstücks liegt. Beschreiben wir nun die Diagonale und die Begrenzungslinie des Spuckwettbewerbs jeweils durch eine Geradengleichung und berechnen damit die Abszisse des Schnittpunkts. Für die Gleichung g_1 der Cross-Blindekuh-Diagonalen gilt:

$$g_1: \quad y = 24 - x$$

Die Geradengleichung g_2 der Begrenzung des Spuckwettbewerbs lautet:

$$g_2: \quad y = \frac{1}{3}x$$

Das Gleichsetzen der beiden Gleichungen liefert die Abszisse x_s des Schnittpunkts:

$$24 - x_s = \frac{1}{3}x_s$$
$$x_s = 18$$

Die gesuchte Höhe *h* auf der Dreiecksseite hat also eine Länge von $24 - 18 = 6$ Metern. Damit ergibt sich für die gesuchte Fläche:

$$\frac{1}{2} \cdot 24^2 - \frac{1}{2} \cdot 8 \cdot 6 = 264$$

Der Teich überdeckt also eine Fläche von 264 Quadratmetern. Darauf lässt sich vortrefflich synchron angeln. Das überzeugt auch Herrn Knösel. Ob ihn das über den Verlust seines Hauses hinwegtröstet?

21. Aus der Kinderstube der Tiefseekugeln

AUFGABE SEITE 62

Versuchen wir ein wenig Licht in das ewige Dunkel am Grunde des Ozeans zu bringen und den Biologen ein paar Erkenntnisse zur Entwicklung der Tiefseekugeln zu liefern. Stellen wir uns dazu die vier Kugeln in der Draufsicht vor. Dann sitzt die kleine Kinderkugel in der Mitte der Lücke zwischen ihren drei Elternkugeln. Das nutzen wir, um im ersten Schritt die Strecke *a* zwischen dem Mittelpunkt der großen Kugeln und der kleinen in der Ebenenprojektion zu ermitteln.

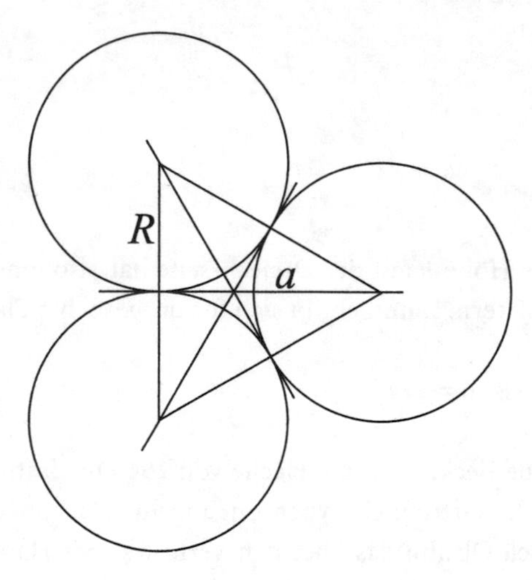

Schnell erkennt man, dass die drei Mittelpunkte der Elternkugel aus Symmetriegründen ein gleichseitiges Dreieck mit der Seitenlänge $2R$ aufspannen. Berechnen wir die Höhe *h* in diesem Dreieck mit Hilfe des Satzes von Pythagoras:

$$R^2 + h^2 = (2R)^2$$
$$h = \sqrt{3}R$$

Da sich die Höhen im gleichseitigen Dreieck im Verhältnis zwei zu eins schneiden, erhalten wir für a:

$$a = \frac{2}{3}\sqrt{3}R$$

Nun sehen wir uns einen Querschnitt durch den Mittelpunkt der Elternkugel und den der kleinen Kugel an.

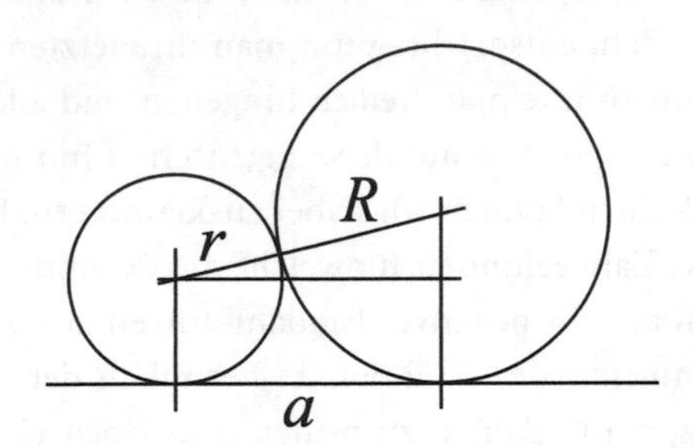

Hier nutzen wir einmal mehr den Satz des Pythagoras, um schließlich eine Formel für r in Abhängigkeit von R und a aufzustellen. Die Strecke a ersetzen wir dann durch den oben bestimmten Ausdruck:

$$a^2 + (R - r)^2 = (R + r)^2$$
$$a^2 = 4Rr$$
$$\frac{4}{3}R^2 = 4Rr$$
$$r = \frac{1}{3}R$$

Die Wesen der Art *Hypotheticus spectri* sind also genau ein Drittel so groß wie ihre Eltern, wenn sie flügge werden.

22. Geschäfte zwischen Tür und Angel

AUFGABE SEITE 64

Das war ja klar, dass Herr Zählsmen die Bestellung aufnimmt, ohne eine Ahnung zu haben, was der Kunde wirklich will. Hauptsache: verkaufen. Und jetzt müssen wir der Produktionsabteilung von Count & Co. mit ein wenig Mathematik aushelfen.

Gesucht wird eine ganze Zahl zwischen –999 999 und 999 999, denn andere Produkte führt Count & Co nicht. Doch der Kunde wünscht sich eine spezielle Zahl, eine, deren Kubikwurzel der ursprünglichen Zahl entspricht, wenn man ihre letzten drei Stellen wegstreicht. Nun könnte man freilich hingehen und alle Kubikzahlen zwischen 0 und 999 999 auf diese Eigenschaft hin untersuchen. Die negativen Zahlen können wir dabei ausklammern. Denn haben wir eine positive Zahl gefunden, für welche die Rechnung aufgeht, so muss dies auch auf ihr negatives Pendant zutreffen – schlicht aufgrund der Symmetrie der Funktion x^3 bezüglich der 0. Trotzdem hätten wir knapp 100 Zahlen zu prüfen, was doch ein wenig viel Arbeit wäre. Aber vielleicht geht es auch einfacher.

Stellen wir zunächst eine Gleichung auf. Seien x und y dabei zwei beliebige ganze Zahlen zwischen 0 und 999, wobei $1000 \cdot x + y$ die gesuchte Kubikzahl ergibt. Dann muss laut Aufgabenstellung folgender Zusammenhang gelten:

$$\sqrt[3]{1000 \cdot x + y} = x$$

Setzen wir nun beide Seiten der Gleichung in die dritte Potenz

$$1000 \cdot x + y = x^3$$

und teilen durch x. (Dabei darf x nicht 0 sein, aber dieser Fall ist ohnehin auszuschließen, denn sonst würde von der Zahl beim Streichen der letzten drei Stellen – also von y – nichts übrig bleiben. Und wir kaufen doch nicht die Katze im Sack, oder vielleicht doch?)

$$1000 + \frac{y}{x} = x^2$$

Der Bruch $\frac{y}{x}$ kann aufgrund der Vorgaben für x und y nur einen Wert zwischen 0 und 999 einnehmen. Das heißt, die Quadratzahl x^2 kann nur zwischen 1000 und 1999 liegen. Oder anders ausgedrückt: x muss zwischen 32 und 44 liegen. (Denn nur ganze Zahlen sind zulässig, und die negativen Zahlen brauchen wir aus oben genannten Gründen nicht zu betrachten.)

Na gut, das sind doch schon deutlich weniger Möglichkeiten für x. Probieren wir also einfach die zwölf Zahlen aus. Zunächst $x = 32$. Dann ergibt sich nach obiger Gleichung:

$$1000 + \frac{y}{32} = 32^2$$

Damit erhalten wir $y = 768$. Na bitte, da haben wir doch schon die erste Lösung, denn y ist wie gefordert eine ganze Zahl. Die komplette Kubikzahl lautet also 32768 und ist die dritte Potenz von 32. Ebenso ist –32768 die dritte Potenz von –32. Aber sind das alle Lösungen?

Probieren wir den nächsten Anwärter für x, nämlich 33. Dann erhalten wir:

$$1000 + \frac{y}{33} = 33^2$$

Das liefert $y = 2937$, einen Betrag, der außerhalb unserer Grenzen für y liegt. Ähnliches gilt dann selbstredend auch für alle anderen x-Werte bis 44. Somit sind –32768 und 32768 die einzigen beiden ganzen Zahlen zwischen –999999 und 999999, deren dritte Wurzel der um die letzten drei Stellen gekürzten ursprünglichen Zahl entspricht. Aber mal ehrlich, würden Sie für diese Zahlen Geld bezahlen?

Gut, dass Luigi keine Probleme mit dem Rezept für die Semmelknobel hat, denn dabei könnten wir ihm vermutlich nicht helfen, aber mit einer Skizze und dem Satz des Pythagoras bekommen wir das geometrische Problem schnell in den Griff.

Gehen wir die Aufgabe ruhig allgemein mit beliebigen Radien r_1 und r_2 für die beiden Knobel bekannten Ausmaßes an. Um eine Beziehung zwischen diesen Radien und dem Radius des großen Knobels zu gewinnen, zeichnen wir in der Draufsicht Verbindungsgeraden zwischen den Mittelpunkten der Knobel sowie Parallelen zu den Kanten der Pfanne ebenfalls durch die Knobelmittelpunkte.

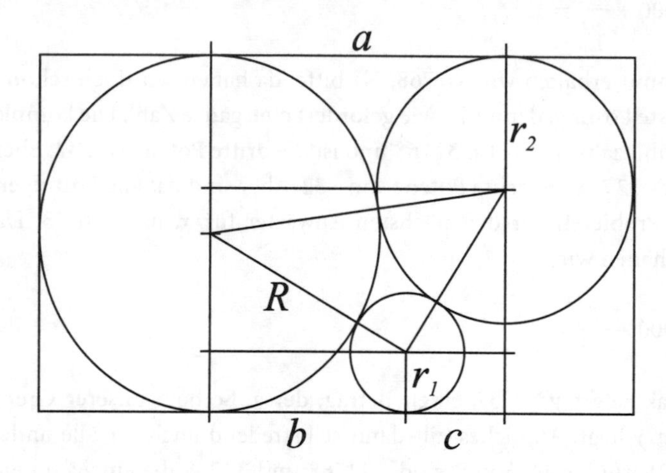

Auf diese Weise ergeben sich einige rechtwinklige Dreiecke, in denen wir den Satz des Pythagoras anwenden können. Der Übersicht halber führen wir außerdem die drei Hilfsstrecken *a*, *b* und *c* ein, wobei gilt:

$$a = b + c \qquad (1)$$

Nun aber zu den rechtwinkligen Dreiecken, hier finden wir folgende Gleichungen:

$$\begin{aligned} (R - r_2)^2 + a^2 &= (R + r_2)^2 \\ a^2 &= 4Rr_2 \end{aligned} \qquad (2)$$

$$\begin{aligned} (R - r_1)^2 + b^2 &= (R + r_1)^2 \\ b^2 &= 4Rr_1 \end{aligned} \qquad (3)$$

$$\begin{aligned} (2R - r_1 - r_2)^2 + c^2 &= (r_1 + r_2)^2 \\ c^2 &= 4Rr_1 + 4Rr_2 - 4R^2 \end{aligned} \qquad (4)$$

Die Gleichung (1) formen wir nach c um, setzen a und b aus den Gleichungen (2) und (3) ein und erhalten:

$$c = a - b = 2\sqrt{Rr_2} - 2\sqrt{Rr_1}$$

Diesen Ausdruck für c setzen wir nun wiederum in die Gleichung (4) ein und bekommen so eine Formel für R:

$$\begin{aligned} 4Rr_2 + 4Rr_1 - 8\sqrt{R^2 r_1 r_2} - 4Rr_1 + 4Rr_2 - 4R^2 \\ R = 2\sqrt{r_1 r_2} \end{aligned}$$

Auch wenn die Rechnung zwischendurch ein wenig unübersichtlich wirkte, so kommt letztendlich doch eine recht bequeme Formel für R heraus. Nun müssen wir nur noch die bekannten Werte für die Knobel einsetzen und erhalten für den Radius des großen Knobels:

$$R = 2\sqrt{4 \cdot 9} = 2\sqrt{36} = 12$$

12 Zentimeter muss der große Knobel also im Radius messen. Na denn, guten Appetit!

24. Der letzte Alchematiker

AUFGABE SEITE 70

Das erste Diamant-Quadrat setzt sich aus 8 Edelsteinen zusammen, wobei je 3 Steine eine Kante bilden. Für das zweite sind bereits 16 Steine nötig, mit je 5 Steinen pro Kante. Überlegen wir uns zunächst, wie viele das dritte Quadrat braucht?

Nun, die Kantenlänge verlängert sich um zwei Diamanten – die beiden diagonal angrenzenden Steine. Macht also 7. Das dritte Quadrat setzt sich demnach aus $(7-1) \cdot 4 = 24$ Diamanten zusammen – wir mussten pro Seite je einen abziehen, da sonst die Ecksteine doppelt gezählt worden wären. Die gleiche Überlegung liefert $(9-1) \cdot 4 = 32$ Edelsteine für das vierte Quadrat.

Um nicht peu à peu alle Quadrate bis zum 111ten durchzurechnen, wollen wir eine allgemeine Formel finden. Dazu schreiben wir uns zur besseren Übersicht einmal alle bereits bekannten Diamant-Quadrate mit der Zahl ihrer Edelsteine E_n in einer Tabelle auf:

n	E_n
1	8
2	16
3	24
4	32

Gucken wir uns die Zahlen scharf an, dann sieht es so aus, als würde sich die Zahl der Edelsteine E_n für das n-te Quadrat folgendermaßen berechnen lassen:

$$E_n = 8 \cdot n$$

Beweisen lässt sich die Formel beispielsweise durch vollständige Induktion. Für das 111te Quadrat braucht man also 888 Diamanten.

25. Japanisches Fußballorigami AUFGABE SEITE 72

Schauen wir uns eine Skizze des gefalteten Bogen Papiers genau an und prüfen zunächst, in welchen Bereichen das Papier in vier Lagen übereinander liegt. Offensichtlich trifft dies zum einen auf zwei kleine Dreiecksflächen zu, die beim Umknicken der überragenden großen Dreiecke am oberen und unteren Rand entstehen. Zum anderen auf zwei drachenförmige Flächen, die sich in der Spitze der von links und rechts eingefalteten kleinen Dreiecke befinden.

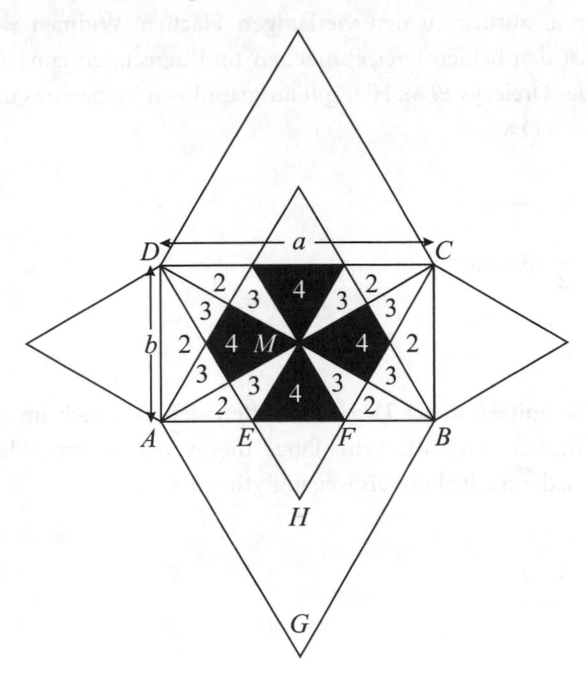

Bevor wir uns jedoch genau anschauen, wie diese Flächen zu berechnen sind, benutzen wir die Information, dass sich die beiden kleinen Dreiecke *AMD* und *BCM* an ihren Spitzen berühren, um das Verhältnis der beiden Rechtecksseiten *a* und *b* auszurechnen. Da sich die beiden Dreiecke aus Symmetriegründen ganz offensichtlich im

Mittelpunkt des Rechtecks berühren und die anderen beiden Punkte eines jeden Dreiecks auf benachbarten Ecken des Rechtecks sitzen, müssen die Seiten der kleinen Dreiecke auf den Diagonalen des Rechtecks liegen. Wir finden also mit Hilfe des Satzes von Pythagoras folgenden Zusammenhang zwischen *a* und *b*:

$$\begin{aligned} a^2 + b^2 &= (2b)^2 \\ a &= \sqrt{3}b \end{aligned} \qquad (1)$$

Doch nun zurück zu den vierlagigen Flächen. Widmen wir uns zunächst den beiden Dreiecksflächen und berechnen zunächst die Höhe des Dreiecks *EFM*. Hier gilt aufgrund von Pythagoras und der Gleichung (1):

$$\begin{aligned} h_{EFM} &= h_{ABG} - b \\ &= \frac{\sqrt{3}}{2}\sqrt{3}b - b \\ &= \frac{1}{2}b \end{aligned}$$

Auch die Spitzen dieser Dreiecke treffen sich demnach im Mittelpunkt *M*. Sei nun *c* die Seitenlänge dieses kleinen umgeklappten Dreiecks, dann gilt abermals wegen Pythagoras:

$$\begin{aligned} \left(\frac{1}{2}c\right)^2 + \left(\frac{1}{2}b\right)^2 &= c^2 \\ c &= \frac{\sqrt{3}}{3}b \end{aligned}$$

Damit ist die Fläche dieser kleinen umgeklappten Dreiecke jeweils:

$$F_{EFM} = \frac{\sqrt{3}}{12}b^2$$

Verbleibt noch die Fläche der beiden Drachen. Bestimmen wir zunächst die Fläche der Dreiecke *AMD* und *BCM*. Die Höhe h_{AMD} berechnet sich wie folgt:

$$h_{AMD}^2 + \left(\frac{1}{2}b\right)^2 = b^2$$
$$h_{AMD} = \frac{\sqrt{3}}{2}b$$

Für die Fläche gilt dann:

$$F_{AMD} = \frac{1}{2}h_{AMD} \cdot b$$
$$= \frac{\sqrt{3}}{4}b^2$$

Von dieser Fläche müssen wir jedoch die beiden dreilagigen Dreiecke sowie das zweilagige abziehen, um die Fläche der Drachen zu erhalten. Da sowohl *DHC* wie auch *AMD* gleichseitige Dreiecke sind, deren Seiten *AD* und *DC* offensichtlich senkrecht aufeinander stehen, schneiden sich auch die Seiten *DH* und *AM* senkrecht. Die Mittelsenkrechten in einem gleichseitigen Dreieck schneiden sich im Schwerpunkt desselben und teilen diese im Verhältnis zwei zu eins. Mit dieser Information und der Höhe h_{AMD} lässt sich die Höhe h_3 der dreilagigen Dreiecke berechnen:

$$h_3 = \frac{1}{3}\frac{\sqrt{3}}{2}b = \frac{\sqrt{3}}{6}b$$

Damit können wir die Fläche F_3 eines solchen dreilagigen Dreiecks bestimmen:

$$F_3 = \frac{1}{2} \cdot \frac{1}{2}b \cdot \frac{\sqrt{3}}{6}b = \frac{\sqrt{3}}{24}b^2$$

Auch beim zweilagigen Dreieck nutzen wir das Teilungsverhältnis der Höhen bzw. Mittelsenkrechten von zwei zu eins, um folgende Fläche zu errechnen:

$$F_2 = \frac{1}{2} b \cdot \frac{\sqrt{3}}{6} b = \frac{\sqrt{3}}{12} b^2$$

Damit bestimmen wir die Fläche der Raute zu:

$$\begin{aligned} F_R &= F_{AMD} - 2F_3 - F_3 \\ &= \frac{\sqrt{3}}{4} b^2 - \frac{\sqrt{3}}{12} b^2 - \frac{\sqrt{3}}{12} b^2 \\ &= \frac{\sqrt{3}}{12} b^2 \end{aligned}$$

Die Gesamtfläche der vierlagigen Bereiche ergibt sich damit zu:

$$F_G = 4 \cdot \frac{\sqrt{3}}{12} b^2 = \frac{\sqrt{3}}{3} b^2$$

Bezogen auf die Fläche des Rechtecks ist das:

$$\frac{F_G}{F} = \frac{\sqrt{3}}{3} b^2 \cdot \frac{1}{ab} = \frac{\sqrt{3}}{3} b^2 \cdot \frac{1}{\sqrt{3} b^2} = \frac{1}{3}$$

Genau ein Drittel der ursprünglichen Rechtecksfläche – in unserem Fall also 48 Quadratzentimeter – wird von vier Lagen Papier bedeckt. Bezogen auf den Fußballplatz lässt das dem gegnerischen Sturm mehr als genug Raum zu agieren. Sensei Ori und O Sensei Gami bleibt also nichts anderes übrig, als auch am fußballerischen Können ihrer Schützlinge zu arbeiten, um die Weltmeisterschaft erfolgreich zu beenden.

26. Weihnachtliches Sternedeuten AUFGABE SEITE 74

Das Flächenverhältnis eines Fünfecks zu einem eingeschriebenen fünfzackigen Stern soll bestimmt werden. Sei a die Länge einer Seite des Fünfecks.

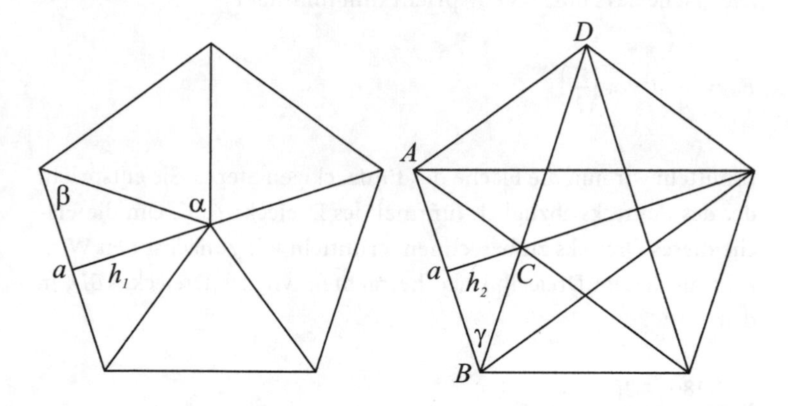

Das Fünfeck lässt sich in fünf kongruente gleichschenklige Dreiecke zerlegen. Der Winkel α gegenüber der Seite a ist $360^\circ : 5 = 72^\circ$ groß. Für die beiden anderen Winkel β im Dreieck gilt:

$$\beta = \frac{180^\circ - \alpha}{2} = 54^\circ$$

Die Höhe h_1 in den Dreiecken berechnet sich über den Tangens des Winkels α:

$$\tan\left(\frac{\alpha}{2}\right) = \frac{a}{2 \cdot h_1}$$

$$h_1 = \frac{a}{2} \cot\left(\frac{\alpha}{2}\right)$$

Damit berechnet sich die Fläche F_{D1} der Dreiecke wie folgt:

$$F_{D1} = \frac{a}{2} h_1 = \frac{a^2}{4} \cot\left(\frac{\alpha}{2}\right)$$

Die Fläche des Fünfecks entspricht nun fünfmal F_{D1}:

$$F_F = \frac{5}{4} a^2 \cot\left(\frac{\alpha}{2}\right)$$

Ermitteln wir nun die Fläche des fünfzackigen Sterns. Sie entspricht der des Fünfecks abzüglich fünfmal des Dreiecks *ABC*. Um die Fläche dieses Dreiecks zu berechnen, ermitteln wir zunächst den Winkel γ in diesem Dreieck. Dazu betrachten wir das Dreieck *ABD*, in dem gilt:

$$\gamma = \frac{180^\circ - 2\beta}{2} = \frac{\alpha}{2} = 36^\circ$$

Für die Höhe h_2 des Dreiecks *ABC* gilt:

$$\tan\gamma = 2\frac{h_2}{a}$$

$$h_2 = \frac{a}{2} \tan\gamma$$

Damit berechnet sich der Flächeninhalt F_{D2} des Dreiecks *ABC* folgendermaßen:

$$F_{D2} = \frac{a}{2} h_2 = \frac{a^2}{4} \tan\gamma$$

Und für die Fläche F_S des Sterns erhalten wir:

$$F_S = 5(F_{D1} - F_{D2}) = \frac{5a^2}{4} (\cot \gamma - \tan \gamma)$$

Das Verhältnis der Flächen von Stern und Fünfeck ist damit:

$$\begin{aligned} \frac{F_S}{F_F} &= \frac{5a^2}{4} (\cot \gamma - \tan \gamma) \cdot \frac{4}{5a^2} \tan \gamma \\ &= 1 - \tan^2 \gamma \\ &= 1 - \tan^2 \left(\frac{\alpha}{2}\right) \end{aligned}$$

Mit $\alpha = 72°$ erhalten wir:

$$\frac{F_S}{F_F} \approx 0{,}472$$

Die Fläche des einbeschriebenen Sterns entspricht also rund 47 Prozent des umgebenden Fünfecks.

27. Hügel auf dem Golfplatz

AUFGABE SEITE 78

Auf dem 10 mal 10 Felder großen Terrain des Golfplatzes haben die Buddelwusler Mulden gegraben und Hügel aufgetürmt – mathematisch entspricht das den Vorzeichen minus und plus. In jeder Zeile und Spalte sollen sich genau fünf Mulden befinden – was in der Matrix fünf negativen Vorzeichen vor den Höhenangaben entspricht. Tatsächlich gibt es einige mögliche Arrangements. Hier eine Möglichkeit, die Vorzeichen zu verteilen (die Höhenangaben haben wir weggelassen):

+	-	+	-	+	-	+	-	+	-
-	+	-	+	-	+	-	+	-	+
+	-	+	-	+	-	+	-	+	-
-	+	-	+	-	+	-	+	-	+
+	-	+	-	+	-	+	-	+	-
-	+	-	+	-	+	-	+	-	+
+	-	+	-	+	-	+	-	+	-
-	+	-	+	-	+	-	+	-	+
+	-	+	-	+	-	+	-	+	-
-	+	-	+	-	+	-	+	-	+

Aber welche Summe ergibt sich nun ganz allgemein für eine beliebige Matrix, in der die Vorzeichen entsprechend den Vorgaben verteilt sind? Am besten zerlegen wir die Summe der Matrix in die Summe zweier Teil-Matrizen. In der ersten befinden sich nur die Einer-Stellen der Elemente der ursprünglichen Matrix, in der zweiten nur die Zehner-Stellen:

$$\sum_{j=1}^{10}\sum_{i=1}^{10} v_{ij}\,(i+(j-1)\cdot 10) \;=\; \sum_{j=1}^{10}\sum_{i=1}^{10} v_{ij}\,i + \sum_{j=1}^{10}\sum_{i=1}^{10} v_{ij}(j-1)\cdot 10$$

(i bzw. j ist die Spalten- beziehungsweise Zeilen-Nummer des jeweiligen Matrixelements, v_{ij} ist das Vorzeichen dieses Elements.)

Summieren wir nun in der Einer-Matrix zunächst spaltenweise, das heißt bei gleichem i über alle j. Wir vertauschen also die beiden Summen innerhalb der Matrix. Das dürfen wir tun, da die Addition kommutativ ist. Schauen wir uns so eine Spalte in der Einer-Matrix genauer an: Offensichtlich befindet sich hier zehnmal die gleiche Zahl – nämlich das gleiche i – untereinander. Nur das Vorzeichen ändert sich – fünf davon sind negativ, die anderen fünf positiv. Das heißt, die Spaltensumme der Einer-Matrix ist stets null. Damit ist auch die Summe der ganzen Einer-Matrix null.

$$\sum_{j=1}^{10}\sum_{i=1}^{10} v_{ij}\,i \;=\; \sum_{i=1}^{10}\sum_{j=1}^{10} v_{ij}\,i \;=\; \sum_{i=1}^{10} 0 \;=\; 0$$

Ähnliches gilt für die Zehnermatrix: Hier addieren wir zunächst zeilenweise. Da in jeder Zeile zehnmal betragsmäßig die gleiche Zahl steht – nämlich $(j-1)\cdot 10$ –, und auch hier fünfmal das positive sowie fünfmal das negative Vorzeichen auftaucht, ist in dieser Matrix jede Zeilensumme null. Also addieren sich auch die Elemente der Zehnermatrix zu null.

$$\sum_{j=1}^{10}\sum_{i=1}^{10} v_{ij}(j-1)\cdot 10 \;=\; \sum_{j=1}^{10} 0 \;=\; 0$$

Da die Summe beider Teil-Matrizen verschwindet, ist auch die Summe der ursprünglichen Matrix null. Die Buddelwusler haben demnach am durchschnittlichen Höhenniveau des Golfplatzes gar nichts verändert, sie haben das Erdreich lediglich ein wenig hin und her geschoben.

28. Falsche Fuffziger

Vorausgesetzt wird für die Flächen der Dreiecke *A*, *B* und *C* Folgendes:

$F_C = F_A + F_B$

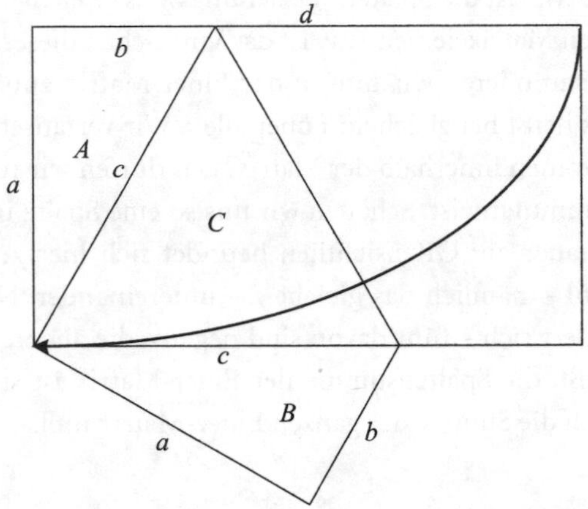

Aus Symmetriegründen müssen die Dreiecke *A* und *B* kongruent und damit flächengleich sein. Deshalb können wir auch schreiben:

$F_C = 2F_A$

Für die Fläche des Dreiecks *C* mit der Höhe *a* auf der Seite *c* gilt ferner:

$$F_C = \frac{ac}{2}$$

Die Fläche des Dreiecks *A* mit den rechtwinklig aufeinander stehenden Seiten *a* und *b* berechnet sich wie folgt:

$$F_A = \frac{ab}{2}$$

Setzen wir nun die beiden Ausdrücke für die Dreiecksflächen in die obige Beziehung ein:

$$F_C = 2F_A$$

$$\frac{1}{2}ac = ab \qquad (1)$$

$$c = 2b$$

Im Dreieck *A* können wir außerdem den Satz des Pythagoras verwenden, um einen Zusammenhang zwischen den Längen *a*, *b* und *c* zu erhalten:

$$a^2 + b^2 = c^2$$

$$= (2b)^2 \qquad (2)$$

$$b = \frac{a}{\sqrt{3}}$$

Für *c* ergibt sich mit den Gleichungen (1) und (2):

$$c = \frac{2}{\sqrt{3}}a$$

Damit können wir die Seite *d* des Geldscheins berechnen:

$$d = b + c$$

$$= \frac{a}{\sqrt{3}} + 2\frac{a}{\sqrt{3}}$$

$$= \sqrt{3}a$$

Für das Verhältnis der Seiten des Eulos gilt also:

$$\frac{d}{a} = \frac{\sqrt{3}a}{a} = \sqrt{3}$$

Mit dieser Information ist jeder falsche Eulo schnell erkannt – vorausgesetzt, Sie haben etwas dabei, um die Seitenlängen zu bestimmen.

29. Das Spiel der Götter

AUFGABE SEITE 82

Lässt sich das Götterspiel bis in alle Ewigkeit fortsetzen? Nun, es bleibt uns nichts anderes übrig, als die verschiedenen Murmelergebnisse peu à peu durchzugehen – aber es sind weniger, als es zunächst den Anschein hat. Hier der Ereignispfad, ausgehend von der anfänglichen Murmelverteilung von 48:52 für Prometheus beziehungsweise Zeus (Pfeile, die von der linken unteren Ecke ausgehen, weisen Prometheus als Sieger aus, Pfeile von rechts unten entsprechend Zeus):

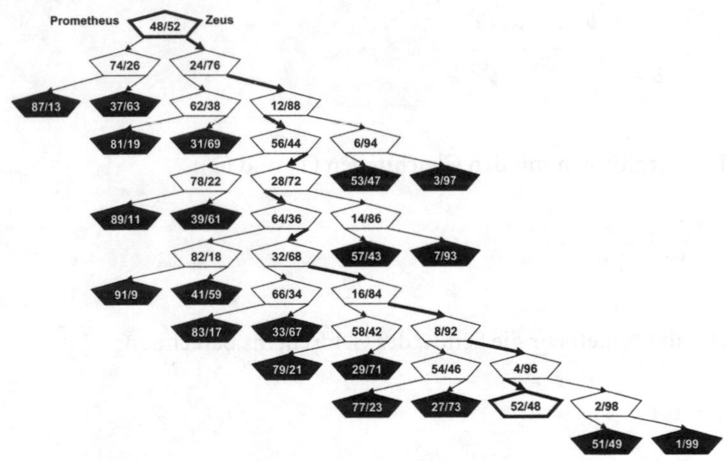

Offensichtlich gibt es einen Ereignispfad (fett gedruckt), der zu einer Murmelverteilung von 52:48 der Götter führt. Das ist genau entgegengesetzt zur Ausgangssituation. Zeus und Prometheus können das Spiel also weiterspielen – nur mit vertauschten Rollen. Folgen sie dabei stets dem fett gedruckten Ereignispfad, dann währt das Spiel ewig.

Glücklicherweise scheinen die Götter auf wundersam mythologische Weise genau diesem Pfad zu folgen, sodass wir Sterbliche uns keine Sorgen um den Ausgang des Spiels machen müssen. Kümmern wir uns also um die kleinen und großen Probleme, die wir selbst in der Hand haben.

30. Magie für die Eiskönigin AUFGABE SEITE 84

Ein magisches Quadrat soll mit zweistelligen Zahlen gefüllt werden, wobei die Spiegelungen an der Horizontalen und / oder Vertikalen ebenfalls wieder ein magisches Quadrat hervorbringen. Schauen wir zunächst einmal, welche Ziffern – in Siebensegmentschreibweise – überhaupt wieder eine Ziffer ergeben. Die folgende Grafik zeigt die ursprünglichen Siebensegmentziffern, solche, die nur an der Vertikalen oder Horizontalen gespiegelt wurden, sowie Ziffern, die an beiden Achsen gespiegelt wurden:

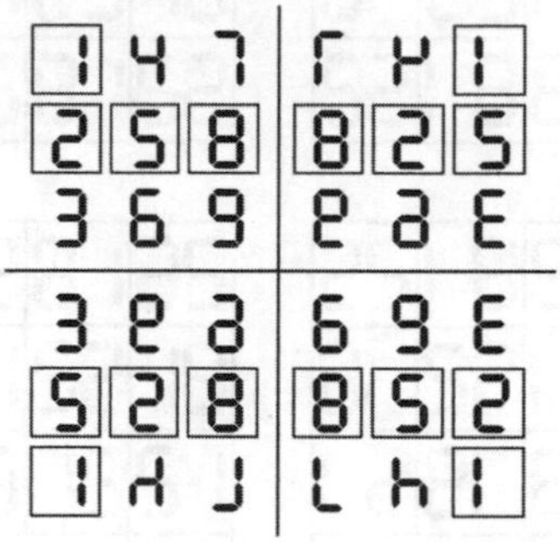

Die Ziffern 1, 2, 5 und 8 (umrandet) können wir also für die magischen Quadrate verwenden, denn sowohl gespiegelt als auch auf den Kopf gestellt ergibt sich wieder eine Ziffer. Aber wie sind die Ziffern auf zweistellige Zahlen zu verteilen, sodass in jedem magischen Quadrat gleiche Zeilen-, Spalten- und Diagonalsummen stehen?

Im Grunde ist es ganz einfach: Wir müssen jede Ziffer pro Spalte, Zeile und Diagonale einmal für die erste und einmal für die zweite Stelle der zweistelligen Zahl verwenden. Dann steht in jeder Spalte, Zeile und auch in den beiden Diagonalen folgende Summe:

$$1 + 2 + 5 + 8 + 10 + 20 + 50 + 80 = 176$$

Die Ziffern 1 und 8 behalten auch in den gespiegelten Versionen ihren Wert. Die Ziffern 2 und 5 wechseln miteinander die Plätze. Da bei der Addition das Kommutativgesetz gilt, ändert das nichts an den Summen. Aus demselben Grund wirkt sich auch nicht weiter aus, dass die Stellen beim Spiegeln vertauscht werden.

Es gibt viele Möglichkeiten, auf diese Weise magische Quadrate zu erzeugen, hier ist ein Beispiel:

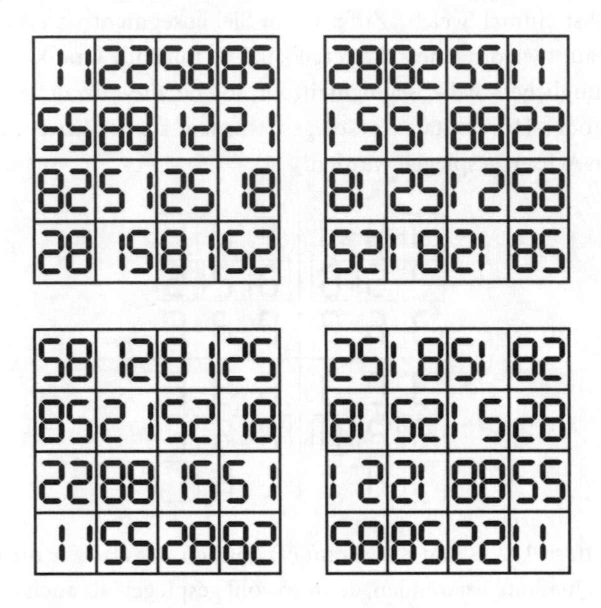

Wochenlang hat dieses Rätsel die Eiskönigin gefesselt. Vor lauter Grübelei vergaß sie ganz und gar, die Welt mit Frost und Schnee zu überziehen, und so wurde es ein außergewöhnlich warmer Winter in diesem Jahr. Lupf23 indes verließ nun, da die Saison vorbei war, die nördlichen Gefilde und half fortan dem Osterhasen bei seinen Vorbereitungen. Zur Eiskönigin würde er erst zum Jahresende wieder geschickt werden – genug Zeit, um eine neue Aufgabe zu ersinnen, welche die launige Herrin beschäftigen würde.

Es soll gezeigt werden, dass die Süßigkeit auf jedes beliebige Feld des Spielplans gesetzt werden kann und die Triominos diesen in jedem Fall lückenlos auffüllen können.

Eine Vorüberlegung: Fassen wir je 2 mal 2 Felder gedanklich zu einem größeren Karree zusammen. Wir erhalten so einen Spielplan mit 4 mal 4 Karrees. Einerlei, auf welches kleine Feld nun die Süßigkeit gelegt wird, lässt sich durch Hinzufügen eines Triominos ein solches Karree stets genau abdecken. Wir müssen also nur noch zeigen, dass sich für ein beliebiges gefülltes Anfangskarree der Spielplan vollständig mit Triominos füllen lässt.

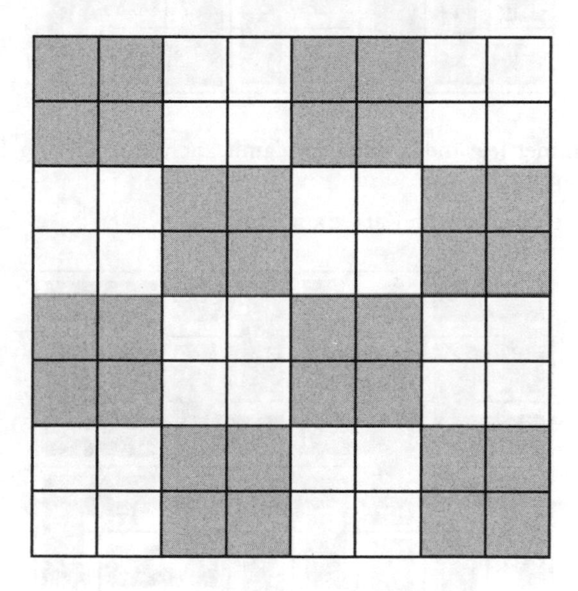

Im Grunde sind dabei nur drei unterschiedliche Positionen der Karrees zu untersuchen. Durch Spiegelung und Rotation lässt sich nämlich schnell die Lösung auf andere Karrees übertragen. Fangen wir mit einem Eckkarree an und zeigen, dass hierfür eine Lösung existiert:

Aus Symmetriegründen existiert damit auch eine Lösung für die anderen Eckkarrees.

Nehmen wir nun ein Karree am Rand:

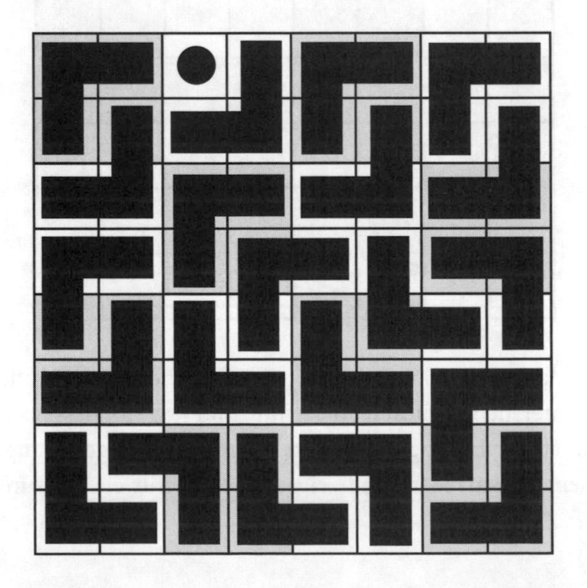

Auch diese Lösung gilt für alle anderen Randkarrees.

Verbleiben die vier Karrees in der Mitte des Spielplans, von denen wir uns eines herauspicken, um hier ein Lösungsmuster zu finden:

Damit ist also gezeigt, dass es für jedes beliebige Karree – und damit auch für jede beliebige Süßigkeiten Position auf dem Spielplan – eine Anordnung von Triominos gibt, die das Spielbrett lückenlos füllt.

Da es jedoch viele verschiedene Möglichkeiten gibt, den Plan mit Triominos zu bedecken, und so die unterschiedlichsten Muster entstehen, tut das dem Spielspaß keinen Abbruch – noch dazu, wenn am Ende eine süße Belohnung winkt. So lassen sich selbst eingefleischte Geometrie-Muffel auf eine Runde ein.

32. Zeit für die Wahrheit

AUFGABE SEITE 89

Wandeln wir auf den verschlungenen Pfaden der Verschwörungstheoretiker und versuchen wir, das Geheimnis der 32 zu ergründen. Wie lautet doch gleich die Regel für Zahlen, die durch 9 teilbar sind? Richtig! Die Quersumme muss ebenfalls durch 9 teilbar sein.

Bei den einstelligen Zahlen gibt es nur eine einzige, auf die das zutrifft: die 9 selbst. Bei den zweistelligen sind es immerhin schon 8 Zahlen, da die 90 beziehungsweise 99 wegen der vorkommenden 0 beziehungsweise doppelten Ziffern wegfallen. Übrig bleiben also:

18, 27, 36, 45, 54, 63, 72, 81

Nun müssen wir noch die dreistelligen Zahlen auf ihre Teilbarkeit prüfen. Dazu sehen wir uns alle möglichen Ziffernkombinationen an, deren Ziffernsumme durch 9 teilbar ist. Denn das heißt, dass auch die daraus gebildete Zahl durch 9 teilbar ist. Prüfen wir zunächst unter Berücksichtigung der Auswahlregeln (keine 0 und keine Ziffer mehrfach), welche Ziffern überhaupt vorkommen dürfen. Das sind

1, 2, 6 (Ziffernsumme = 9)
1, 3, 5 (Ziffernsumme = 9)
1, 8, 9 (Ziffernsumme = 18)
2, 3, 4 (Ziffernsumme = 9)
2, 7, 9 (Ziffernsumme = 18)
3, 6, 9 (Ziffernsumme = 18)
3, 7, 8 (Ziffernsumme = 18)
4, 5, 9 (Ziffernsumme = 18)
4, 6, 8 (Ziffernsumme = 18)
5, 6, 7 (Ziffernsumme = 18)

Die drei Ziffern lassen sich nun jeweils zu 3! = 6 verschiedenen Zahlen zusammensetzen. Beispiel:

126, 162, 216, 261, 612, 621

Das heißt, es gibt 6 mal 10, also 60 dreistellige Zahlen, welche die oben genannten Regeln erfüllen. Insgesamt macht das genau 69 durch 9 teilbare Zahlen unterhalb von 1000, bei denen keine Ziffer mehrfach vorkommt und die 0 ausgeschlossen ist.

Diese Anzahl von Zahlen teilen wir durch 3, und heraus kommt: 23.

Okay, 23 ist nicht 32. Aber fast! Nur ein kleiner Zahlendreher überführt die verruchte 32 in eine unschuldige Nummer. Es ist offensichtlich eine geschickte Täuschung, damit die Verschwörung nicht gleich auffliegt. Seien Sie wachsam!